D0368367

NOTRE-DAME
DE PARIS

Victor Hugo

NOTRE-DAME DE PARIS

Certaines œuvres littéraires peuvent, par leur ampleur, sembler difficilement accessibles à de jeunes lecteurs. Ni adaptation ni résumé, ce livre propose une version abrégée du texte original : les coupures y sont effectuées de manière à laisser intacts le ton et le style de l'auteur...

Préface

Il y a quelques années qu'en visitant, ou, pour mieux dire, en furetant Notre-Dame, l'auteur de ce livre trouva, dans un recoin obscur de l'une des tours, ce mot gravé à la main sur le mur :

'ΑΝΑΓΚΗ[1].

Ces majuscules grecques, noires de vétusté et assez profondément entaillées dans la pierre, je ne sais quels signes propres à la calligraphie gothique empreints dans leurs formes et dans leurs attitudes, comme pour révéler que c'était une main du Moyen Âge qui les avait écrites là, surtout le sens lugubre et fatal qu'elles renferment, frappèrent vivement l'auteur.

Il se demanda, il chercha à deviner quelle pouvait

---

1. Fatalité (en grec ancien).

être l'âme en peine qui n'avait pas voulu quitter ce monde sans laisser ce stigmate de crime ou de malheur au front de la vieille église.

C'est sur ce mot qu'on a fait ce livre.

Février 1831.

LIVRE PREMIER

1

La grand-salle

Il y a aujourd'hui trois cent quarante-huit ans six mois et dix-neuf jours que les Parisiens s'éveillèrent au bruit de toutes les cloches sonnant à grande volée dans la triple enceinte de la Cité, de l'Université et de la Ville.

Ce n'est cependant pas un jour dont l'histoire ait gardé souvenir que le 6 janvier 1482. Rien de notable dans l'événement qui mettait ainsi en branle, dès le matin, les cloches et les bourgeois de Paris. Il y avait à peine deux jours que la cavalcade des ambassadeurs flamands chargés de conclure le mariage entre le dauphin et Marguerite de Flandre avait fait son entrée à Paris, au grand ennui de M. le cardinal de Bourbon, qui, pour plaire au roi, avait dû faire bonne mine à toute cette rustique cohue de bourgmestres flamands, et les régaler, en son hôtel de Bourbon, tandis qu'une pluie battante inondait à sa porte ses magnifiques tapisseries.

Le 6 janvier, c'était la double solennité, réunie depuis un temps immémorial, du jour des rois et de la fête des fous.

Ce jour-là, il devait y avoir feu de joie à la Grève[1], plantation de mai[2] à la chapelle de Braque et mystère[3] au Palais de Justice.

La foule des bourgeois et des bourgeoises s'acheminait donc de toutes parts dès le matin, maisons et boutiques fermées, vers l'un des trois endroits désignés. Le peuple affluait surtout dans les avenues du Palais de Justice, parce qu'on savait que les ambassadeurs flamands, arrivés de la surveille, se proposaient d'assister à la représentation du mystère et à l'élection du pape des fous, laquelle devait se faire également dans la grand-salle.

Ce n'était pas chose aisée de pénétrer ce jour-là dans cette grand-salle. La place du Palais, encombrée de peuple, offrait aux curieux des fenêtres l'aspect d'une mer, dans laquelle cinq ou six rues, comme autant d'embouchures de fleuves, dégorgeaient à chaque instant de nouveaux flots de têtes. Les cris, les rires, le trépignement de ces mille pieds faisaient un grand bruit et une grande clameur.

---

1. Place où avaient lieu les fêtes et les exécutions, sur l'actuelle place de l'Hôtel-de-Ville.
2. Arbre que l'on plante devant la porte de la maison d'une personne que l'on veut honorer.
3. Représentation théâtrale.

Qu'on se représente maintenant cette immense salle oblongue, éclairée de la clarté blafarde d'un jour de janvier, envahie par une foule bariolée et bruyante qui dérive le long des murs et tournoie autour des sept piliers. Les deux extrémités de ce gigantesque parallélogramme étaient occupées, l'une par la fameuse table de marbre, si longue, si large et si épaisse que jamais on ne vit, disent les vieux papiers terriers, *pareille tranche de marbre au monde* ; l'autre, par la chapelle où Louis XI s'était fait sculpter à genoux devant la Vierge.

Au milieu de la salle, vis-à-vis la grande porte, une estrade de brocart d'or, adossée au mur, et dans laquelle était pratiquée une entrée particulière au moyen d'une fenêtre du couloir de la chambre dorée, avait été élevée pour les envoyés flamands et les autres gros personnages conviés à la représentation du mystère.

C'est sur la table de marbre que devait, selon l'usage, être représenté le mystère. Elle supportait une cage de charpente assez élevée, dont la surface supérieure, accessible aux regards de toute la salle, devait servir de théâtre, et dont l'intérieur, masqué par des tapisseries, devait tenir lieu de vestiaire, et prêter ses roides[1] échelons aux entrées comme aux sorties.

Quatre sergents du bailli du Palais se tenaient debout aux quatre coins de la table de marbre.

Ce n'était qu'au douzième coup de midi sonnant à la grande horloge du Palais que la pièce devait com-

_____
1. Raides.

13

mencer. C'était bien tard sans doute pour une représentation théâtrale ; mais il avait fallu prendre l'heure des ambassadeurs.

Or toute cette multitude attendait depuis le matin. Bon nombre de ces honnêtes curieux grelottaient dès le point du jour devant le grand degré[1] du Palais. La foule s'épaississait à tout moment. Aussi la gêne, l'impatience, l'ennui, les querelles qui éclataient à tout propos, la fatigue d'une longue attente, donnaient-elles déjà, bien avant l'heure où les ambassadeurs devaient arriver, un accent aigre et amer à la clameur de ce peuple enfermé, emboîté, pressé, foulé, étouffé. Des bandes d'écoliers et de laquais disséminés dans la masse mêlaient à tout ce mécontentement leurs taquineries et leurs malices.

Il y avait entre autres un groupe de ces joyeux démons qui, après avoir défoncé le vitrage d'une fenêtre, s'était hardiment assis sur l'entablement, et de là plongeait tour à tour ses regards et ses railleries au-dedans et au-dehors, dans la foule de la salle et dans la foule de la place. À leurs rires éclatants, aux appels goguenards qu'ils échangeaient d'un bout à l'autre de la salle avec leurs camarades, il était aisé de juger que ces jeunes clercs ne partageaient pas l'ennui et la fatigue du reste des assistants.

« Sur mon âme, c'est vous, *Jehan Frollo* ! criait l'un d'eux à une espèce de petit diable blond, à jolie et maligne figure, accroché aux acanthes d'un chapiteau. Depuis combien de temps êtes-vous ici ?

---

1. Escalier.

— Par la miséricorde du diable ! répondit Jehan Frollo, voilà plus de quatre heures, et j'espère bien qu'elles me seront comptées sur mon temps de purgatoire. »

En ce moment midi sonna.

« Ha !... » dit toute la foule d'une seule voix.

Les écoliers se turent. Puis il se fit un grand remue-ménage, un grand mouvement de pieds et de têtes, une grande détonation générale de toux et de mouchoirs ; chacun s'arrangea, se posta, se haussa, se groupa ; puis un grand silence. Tous les yeux se tournèrent vers l'estrade réservée aux envoyés flamands. La porte restait fermée et l'estrade vide. Cette foule attendait depuis le matin trois choses : midi, l'ambassade de Flandre, le mystère. Midi seul était arrivé à l'heure.

On attendit une, deux, trois, cinq minutes, un quart d'heure : rien ne venait. L'estrade demeurait déserte, le théâtre muet. Cependant à l'impatience avait succédé la colère. Les paroles irritées circulaient, à voix basse encore, il est vrai. « Le mystère ! le mystère ! » murmurait-on sourdement. Une tempête, qui ne faisait encore que gronder, flottait à la surface de cette foule. Ce fut Jehan qui en tira la première étincelle.

« Le mystère, et au diable les flamands ! » s'écriat-il de toute la force de ses poumons, en se tordant comme un serpent autour de son chapiteau.

La foule battit des mains.

« Le mystère, répéta-t-elle, et la Flandre à tous les diables !

— Il nous faut le mystère sur-le-champ, reprit

l'écolier ; ou m'est avis que nous pendions le bailli du Palais, en guise de comédie et de moralité[1].

— Bien dit, cria le peuple, et entamons la pendaison par ses sergents. »

Une grande acclamation suivit. Les quatre pauvres diables commençaient à pâlir et à s'entre-regarder. La multitude s'ébranlait vers eux, et ils voyaient déjà la frêle balustrade de bois qui les en séparait ployer et faire ventre sous la pression de la foule.

Le moment était critique.

En cet instant, la tapisserie du vestiaire se souleva et donna passage à un personnage dont la seule vue arrêta subitement la foule, et changea comme par enchantement sa colère en curiosité.

« Silence ! silence ! » cria-t-on de tous côtés.

Le personnage, fort peu rassuré et tremblant de tous ses membres, s'avança jusqu'au bord de la table de marbre, avec force révérences qui, à mesure qu'il approchait, ressemblaient de plus en plus à des génuflexions.

Cependant le calme s'était peu à peu rétabli.

« Messieurs les bourgeois, dit-il, et mesdemoiselles les bourgeoises, nous devons avoir l'honneur de déclamer et représenter devant son éminence M. le cardinal une très belle moralité, qui a nom : *Le Bon Jugement de madame la vierge Marie*. C'est moi qui fais Jupiter. Son éminence accompagne en ce moment l'ambassade très honorable de monsieur le duc d'Autriche ; laquelle est retenue, à l'heure qu'il est, à

---

1. Pièce de théâtre conçue pour inciter à la vertu, et dont les personnages sont des symboles.

écouter la harangue de M. le recteur de l'Université. Dès que l'éminentissime cardinal sera arrivé, nous commencerons. »

Il est certain qu'il ne fallait rien de moins que l'intervention de Jupiter pour sauver les quatre malheureux sergents du bailli du Palais. Du reste, le costume du seigneur Jupiter était fort beau, et n'avait pas peu contribué à calmer la foule.

2

Pierre Gringoire

Cependant, tandis qu'il haranguait, la satisfaction, l'admiration unanimement excitées par son costume se dissipaient à ses paroles ; et quand il arriva à cette conclusion malencontreuse : « Dès que l'éminentissime cardinal sera arrivé, nous commencerons », sa voix se perdit dans un tonnerre de huées.

« Commencez tout de suite ! Le mystère ! le mystère tout de suite ! criait le peuple.

— À bas Jupiter et le cardinal de Bourbon ! vociféraient les clercs juchés dans la croisée.

— Tout de suite la moralité ! » répétait la foule.

Le pauvre Jupiter, hagard, effaré, saluait et tremblait en balbutiant : « Son éminence... les ambassadeurs... Madame Marguerite de Flandre... » Il ne savait que dire. Au fond, il avait peur d'être pendu.

Pendu par la populace pour attendre, pendu par

le cardinal pour n'avoir pas attendu, il ne voyait des deux côtés qu'un abîme, c'est-à-dire une potence.

Heureusement quelqu'un vint le tirer d'embarras.

Un individu blond qui se tenait en deçà de la balustrade dans l'espace laissé libre autour de la table de marbre, et que personne n'avait encore aperçu tant sa longue et mince personne était complètement abritée de tout rayon visuel par le diamètre du pilier auquel il était adossé, s'approcha de la table de marbre et fit un signe au pauvre patient. Mais l'autre, interdit, ne voyait pas.

Le nouveau venu fit un pas de plus : « Jupiter ! dit-il, mon cher Jupiter ! »

L'autre n'entendait point.

Enfin le grand blond, impatienté, lui cria presque sous le nez :

« Michel Giborne !

— Qui m'appelle ? dit Jupiter, comme éveillé en sursaut.

— Moi, répondit le personnage vêtu de noir.

— Ah ! dit Jupiter.

— Commencez tout de suite, reprit l'autre. Satisfaites le populaire. Je me charge d'apaiser monsieur le bailli, qui apaisera monsieur le cardinal. »

Jupiter respira.

« Messeigneurs les bourgeois, cria-t-il de toute la force de ses poumons à la foule qui continuait de le huer, nous allons commencer tout de suite. »

Ce fut un battement de mains assourdissant.

Cependant le personnage inconnu, qui avait si

magiquement changé *la tempête en bonace*[1], était modestement rentré dans la pénombre de son pilier, et y serait sans douté resté invisible, s'il n'en eût été tiré par deux jeunes femmes qui, placées au premier rang des spectateurs, avaient remarqué son colloque avec Michel Giborne-Jupiter.

« Messire », dit l'une d'elles en lui faisant signe de s'approcher.

L'inconnu s'approcha de la balustrade.

« Que voulez-vous de moi, mesdemoiselles ? demanda-t-il avec empressement.

— Messire, dit vivement Gisquette, vous connaissez donc ce soldat qui va jouer le rôle de madame la Vierge dans le mystère ?

— Vous voulez dire le rôle de Jupiter ? reprit l'anonyme.

— Hé ! oui, dit Liénarde, est-elle bête ! Vous connaissez donc Jupiter ?

— Michel Giborne ? reprit l'anonyme ; oui, madame.

— Cela sera-t-il beau, ce qu'ils vont dire là-dessus ? demanda timidement Gisquette.

— Très beau, madamoiselle, répondit l'anonyme sans la moindre hésitation. C'est moi qui en suis l'auteur.

— Vraiment ? dirent les jeunes filles, tout ébahies.

— Vraiment ! répondit le poète en se rengorgeant légèrement ; c'est-à-dire, nous sommes deux : Jehan Marchand, qui a scié les planches et dressé la char-

---

1. Temps calme (en langage maritime).

pente du théâtre et toute la boiserie, et moi qui ai fait la pièce. Je m'appelle Pierre Gringoire. »

Toutefois, l'écolier Jehan ne s'endormait pas.

« Holà hé ! cria-t-il tout à coup au milieu de la paisible attente qui avait succédé au trouble, Jupiter, madame la Vierge, bateleurs du diable ! vous gaussez-vous[1] ? la pièce ! la pièce ! Commencez, ou nous recommençons. »

Il n'en fallut pas davantage.

Une musique de hauts et bas instruments se fit entendre de l'intérieur de l'échafaudage ; la tapisserie se souleva ; quatre personnages bariolés et fardés en sortirent, grimpèrent la roide échelle du théâtre, et, parvenus sur la plate-forme supérieure, se rangèrent en ligne devant le public, qu'ils saluèrent profondément ; alors la symphonie se tut. C'était le mystère qui commençait.

Pierre Gringoire était retourné derrière son pilier, et là, il écoutait, il regardait, il savourait. Les bienveillants applaudissements qui avaient accueilli le début de son prologue retentissaient encore dans ses entrailles.

Mais cette première extase fut bien vite troublée.

Un mendiant déguenillé, qui ne pouvait faire recette, perdu qu'il était au milieu de la foule, avait imaginé de se jucher sur quelque point en évidence, pour attirer les regards et les aumônes. Il s'était donc hissé pendant les premiers vers du prologue, à l'aide des piliers de l'estrade réservée, jusqu'à la corniche

---

1. Vous moquez-vous ?

qui en bordait la balustrade à sa partie inférieure, et là il s'était assis, sollicitant l'attention et la pitié de la multitude avec ses haillons et une plaie hideuse qui couvrait son bras droit. Du reste il ne proférait pas une parole.

Le silence qu'il gardait laissait aller le prologue sans encombre, et aucun désordre sensible ne serait survenu, si le malheur n'eût voulu que l'écolier Jehan avisât, du haut de son pilier, le mendiant et ses simagrées. Un fou rire s'empara du jeune drôle, qui, sans se soucier d'interrompre le spectacle et de troubler le recueillement universel, s'écria gaillardement : « Tiens ! ce malingreux[1] qui demande l'aumône ! »

Le prologue resta court, et toutes les têtes se retournèrent en tumulte vers le mendiant, qui, loin de se déconcerter, vit dans cet incident une bonne occasion de récolte, et se mit à dire d'un air dolent, en fermant ses yeux à demi : « La charité, s'il vous plaît !

— Eh mais, sur mon âme, reprit Jehan, c'est Clopin Trouillefou. Holà hé ! l'ami, ta plaie te gênait donc à la jambe, que tu l'as mise sur ton bras ? »

En parlant ainsi, il jetait avec une adresse de singe un petit-blanc[2] dans le feutre gras que le mendiant tendait de son bras malade.

Cet épisode avait considérablement distrait l'auditoire.

Gringoire était fort mécontent. Revenu de sa première stupéfaction, il s'évertuait à crier aux quatre

---

1. Mendiant qui s'affublait de fausses plaies.
2. Pièce de monnaie de l'époque, ne valant que quelques deniers.

personnages en scène : « Continuez ! que diable, continuez ! »

Cependant les acteurs avaient obéi à son injonction, et le public, voyant qu'ils se remettaient à parler, s'était remis à écouter.

Tout à coup, au beau milieu d'une querelle entre mademoiselle Marchandise et madame Noblesse, au moment où maître Labour prononçait ce vers mirifique :

Onc ne vis dans les bois bête plus triomphante !

la porte de l'estrade réservée, qui était jusque-là restée si mal à propos fermée, s'ouvrit plus mal à propos encore ; et la voix retentissante de l'huissier annonça brusquement : *Son éminence monseigneur le cardinal de Bourbon.*

3

Monsieur le cardinal

Pauvre Gringoire ! L'entrée de son éminence bouleversa l'auditoire. Toutes les têtes se tournèrent vers l'estrade. Ce fut à ne plus s'entendre. « Le cardinal ! le cardinal ! » répétèrent toutes les bouches. Le malheureux prologue resta court une seconde fois.

Le cardinal s'arrêta un moment sur le seuil de l'estrade. Tandis qu'il promenait un regard assez indifférent sur l'auditoire, le tumulte redoublait. Chacun voulait le mieux voir. C'était à qui mettrait sa tête sur les épaules de son voisin.

C'était en effet un haut personnage, et dont le spectacle valait bien toute autre comédie. Charles, cardinal de Bourbon, archevêque et comte de Lyon, primat des Gaules, était à la fois allié à Louis XI par son frère, Pierre, seigneur de Beaujeu, qui avait épousé la fille aînée du roi, et allié à Charles le Téméraire par sa mère, Agnès de Bourgogne. On peut juger des embarras sans nombre que lui avait valus cette double parenté, et de tous les écueils temporels entre lesquels sa barque spirituelle avait dû louvoyer, pour ne se briser ni à Louis, ni à Charles. Grâce au ciel, il s'était assez bien tiré de la traversée, et était arrivé à Rome sans encombre.

Du reste, c'était un bon homme. Il menait joyeuse vie de cardinal, s'égayait volontiers avec du cru royal de Challuau, faisait l'aumône aux jolies filles plutôt qu'aux vieilles femmes, et pour toutes ces raisons était fort agréable au *populaire* de Paris.

D'ailleurs, monsieur le cardinal de Bourbon était bel homme, il avait une fort belle robe rouge qu'il portait fort bien ; c'est dire qu'il avait pour lui toutes les femmes, et par conséquent la meilleure moitié de l'auditoire.

Il entra donc, salua l'assistance avec ce sourire héréditaire des grands pour le peuple, et se dirigea à pas lents vers son fauteuil de velours écarlate, en ayant l'air de songer à tout autre chose. Son cortège, ce que nous appellerions aujourd'hui son état-major, d'évêques et d'abbés, fit irruption à sa suite dans l'estrade, non sans redoublement de tumulte et de curiosité au parterre. C'était à qui se les montrerait, se les nommerait, à qui en connaîtrait au moins un.

Il se tourna vers la porte, et de la meilleure grâce du monde (tant il s'y étudiait), quand l'huissier annonça d'une voix sonore : *Messieurs les envoyés de monsieur le duc d'Autriche.*

Alors arrivèrent, deux par deux, avec une gravité qui faisait contraste au milieu du pétulant cortège ecclésiastique de Charles de Bourbon, les quarante-huit ambassadeurs de Maximilien d'Autriche. Il se fit dans l'assemblée un grand silence accompagné de rires étouffés pour écouter tous les noms saugrenus et toutes les qualifications bourgeoises que chacun de ces personnages transmettait imperturbablement à l'huissier, qui jetait ensuite noms et qualités pêle-mêle et tout estropiés à travers la foule ; tous roides, gourmés, empesés, endimanchés de velours et de damas, bonnes têtes flamandes après tout.

Un excepté pourtant. C'était un visage fin, intelligent, rusé, une espèce de museau de singe et de diplomate, au-devant duquel le cardinal fit trois pas et une profonde révérence, et qui ne s'appelait pourtant que *Guillaume Rym, conseiller et pensionnaire de la ville de Gand.*

Peu de personnes savaient alors ce que c'était que Guillaume Rym ; il machinait[1] familièrement avec Louis XI, et mettait souvent la main aux secrètes besognes du roi. Toutes choses fort ignorées de cette foule qu'émerveillaient les politesses du cardinal à cette chétive figure de bailli flamand.

---

1. Intriguait.

4

Maître Jacques Coppenole

Pendant que le pensionnaire de Gand et l'éminence échangeaient une révérence fort basse et quelques paroles à voix plus basse encore, un homme à haute stature, à large face, à puissantes épaules, se présentait pour entrer de front avec Guillaume Rym ; on eût dit un dogue auprès d'un renard. Son bicoquet de feutre et sa veste de cuir faisaient tache au milieu du velours et de la soie qui l'entouraient. Présumant que c'était quelque palefrenier fourvoyé, l'huissier l'arrêta.

« Hé, l'ami ! on ne passe pas. »

L'homme à veste de cuir le repoussa de l'épaule.

« Que me veut ce drôle ? dit-il avec un éclat de voix qui rendit la salle entière attentive à cet étrange colloque. Tu ne vois pas que j'en suis ?

— Votre nom ? demanda l'huissier.

— Jacques Coppenole.

— Vos qualités ?

— Chaussetier[1], à l'enseigne des *Trois Chaînettes* à Gand. »

L'huissier recula. Annoncer des échevins et des bourgmestres, passe ; mais un chaussetier, c'était dur. Le cardinal était sur les épines. Tout le peuple écoutait et regardait. Voilà deux jours que son éminence s'évertuait à lécher ces ours flamands pour les rendre un peu plus présentables en public, et l'incartade était rude. Cependant Guillaume Rym, avec son fin sourire, s'approcha de l'huissier :

« Annoncez maître Jacques Coppenole, clerc des échevins de la ville de Gand, lui souffla-t-il très bas.

— Huissier, reprit le cardinal à haute voix, annoncez maître Jacques Coppenole, clerc des échevins de l'illustre ville de Gand. »

Ce fut une faute. Guillaume Rym tout seul eût escamoté la difficulté ; mais Coppenole avait entendu le cardinal.

« Non, croix-Dieu ! s'écria-t-il avec sa voix de tonnerre. Jacques Coppenole, chaussetier. Entends-tu, l'huissier ? Rien de plus, rien de moins. Croix-Dieu ! chaussetier, c'est assez beau. Monsieur l'archiduc a plus d'une fois cherché son gant dans mes chausses. »

Les rires et les applaudissements éclatèrent. Un quolibet est tout de suite compris à Paris, et par conséquent toujours applaudi.

Coppenole salua fièrement son éminence, qui rendit son salut au tout-puissant bourgeois redouté de Louis XI. Puis, tandis que Guillaume Rym, *sage*

---

1. Fabricant de chausses pantalons.

homme et malicieux, les suivait tous deux d'un sourire de raillerie et de supériorité, ils gagnèrent chacun leur place, le cardinal tout décontenancé et soucieux, Coppenole tranquille et hautain, et songeant sans doute qu'après tout son titre de chaussetier en valait bien un autre.

Cependant tout n'était pas fini pour ce pauvre cardinal, et il devait boire jusqu'à la lie le calice d'être en si mauvaise compagnie.

Le lecteur n'a peut-être pas oublié l'effronté mendiant qui était venu se cramponner, dès le commencement du prologue, aux franges de l'estrade cardinale. L'arrivée des illustres conviés ne lui avait nullement fait lâcher prise, et tandis que prélats et ambassadeurs s'encaquaient[1], en vrais harengs flamands, dans les stalles de la tribune, lui s'était mis à l'aise et avait bravement croisé ses jambes sur l'architrave. Il était, dans toute l'assistance, le seul probablement qui n'eût pas daigné tourner la tête à l'altercation de Coppenole et de l'huissier. Or, le hasard voulut que le maître chaussetier de Gand, avec qui le peuple sympathisait déjà si vivement et sur qui tous les yeux étaient fixés, vînt précisément s'asseoir au premier rang de l'estrade au-dessus du mendiant ; et l'on ne fut pas médiocrement étonné de voir l'ambassadeur flamand, inspection faite du drôle placé sous ses yeux, frapper amicalement sur cette épaule couverte de haillons. Le mendiant se retourna ; il y eut surprise, reconnaissance, épanouissement des deux visages, etc. ; puis,

_____

1. Se dit des harengs serrés dans une caque, sorte de caisse.

sans se soucier le moins du monde des spectateurs, le chaussetier et le malingreux se mirent à causer à voix basse, en se tenant les mains dans les mains, tandis que les guenilles de Clopin Trouillefou, étalées sur le drap d'or de l'estrade, faisaient l'effet d'une chenille sur une orange.

Le cardinal ne tarda pas à s'en apercevoir ; il se figura assez naturellement que le mendiant demandait l'aumône, et, révolté de l'audace, il s'écria : « Monsieur le bailli du Palais, jetez-moi ce drôle à la rivière !

— Croix-Dieu ! monseigneur le cardinal, dit Coppenole sans quitter la main de Clopin, c'est un de mes amis. »

Le cardinal se mordit les lèvres. Il se pencha vers son voisin l'abbé de Sainte-Geneviève et lui dit à demi-voix :

« Plaisants ambassadeurs que nous envoie là monsieur l'archiduc pour nous annoncer madame Marguerite ! »

Du moment où le cardinal était entré, Gringoire n'avait cessé de s'agiter pour le salut de son prologue. Il avait d'abord enjoint aux acteurs, restés en suspens, de continuer et de hausser la voix ; puis, voyant que personne n'écoutait, il les avait arrêtés, et, depuis près d'un quart d'heure que l'interruption durait, il n'avait cessé de frapper du pied, de se démener. Il faut croire aussi que le prologue commençait à gêner légèrement l'auditoire, au moment où son éminence était venue y faire diversion d'une si terrible façon. Après tout, à l'estrade comme à la table de marbre, c'était toujours le même spectacle, le conflit de Labour et de Clergé, de Noblesse et de Marchandise. Et beaucoup de gens aimaient mieux les voir tout bonnement, vivant, res-pirant, agissant, se coudoyant, en chair et en os, dans cette ambassade flamande, dans cette cour épiscopale, sous la robe du cardinal, sous la veste de Coppenole, que fardés, attifés, parlant en vers, et pour ainsi dire empaillés sous les tuniques jaunes et blanches dont les avait affublés Gringoire.

Pourtant, quand notre poète vit le calme un peu rétabli, il commença à crier : « Recommencez le mys-tère ! recommencez !

Les personnages en scène reprirent donc leur glose, et Gringoire espéra que du moins le reste de son œuvre serait écouté. Cette espérance ne tarda pas à être déçue comme ses autres illusions ; le silence s'était bien en effet rétabli dans l'auditoire ; mais Gringoire n'avait pas remarqué que l'estrade était loin d'être remplie, et qu'après les envoyés flamands étaient survenus de nouveaux personnages faisant partie du cortège, dont les noms et qualités, lancés tout au travers de son dialogue par le cri intermittent de l'huissier, y produisaient un ravage considérable. Qu'on se figure en effet, au milieu d'une pièce de théâtre, le glapissement d'un huissier jetant, entre deux rimes, des parenthèses comme celles-ci :

Maître Jacques Charmolue, procureur du roi en cour d'église !

Messire Louis de Graville, chevalier, conseiller et chambellan du roi, amiral de France, concierge du bois de Vincennes !

Maître Denis Le Mercier, garde de la maison des aveugles de Paris ! Etc., etc., etc.

Cela devenait insoutenable.

Avec quelle amertume Gringoire voyait s'écrouler pièce à pièce tout son échafaudage de gloire et de poésie !

Le brutal monologue de l'huissier cessa pourtant. Tout le monde était arrivé, et Gringoire respira. Les acteurs continuaient bravement. Mais ne voilà-t-il pas que maître Coppenole, le chaussetier, se lève tout à coup, et que Gringoire lui entend prononcer, au milieu de l'attention universelle, cette abominable harangue :

« Messieurs les bourgeois et hobereaux de Paris, j'ignore si c'est là ce que vous appelez un *mystère*, mais ce n'est pas amusant. On m'avait promis une fête des fous, avec élection du pape. Nous avons aussi notre pape des fous à Gand, et en cela nous ne sommes pas en arrière, croix-Dieu ! Mais voici comme nous faisons. On se rassemble une cohue, comme ici. Puis chacun à son tour va passer sa tête par un trou et fait une grimace aux autres. Celui qui fait la plus laide, à l'acclamation de tous, est élu pape. Voilà. C'est fort divertissant. Voulez-vous que nous fassions votre pape à la mode de mon pays ? Ce sera toujours moins fastidieux que d'écouter ces bavards. Qu'en dites-vous, messieurs les bourgeois ? Il y a ici un suffisamment grotesque échantillon des deux sexes pour qu'on rie à la flamande, et nous sommes assez de laids visages pour espérer une belle grimace. »

Gringoire eût voulu répondre. La stupéfaction, la colère, l'indignation lui ôtèrent la parole. D'ailleurs la motion du chaussetier fut accueillie avec un tel enthousiasme que toute résistance était inutile. Gringoire cacha son visage de ses deux mains.

5

Quasimodo

En un clin d'œil tout fut prêt pour exécuter l'idée de Coppenole. Bourgeois, écoliers et basochiens[1] s'étaient mis à l'œuvre. La petite chapelle située en face de la table de marbre fut choisie pour le théâtre des grimaces. Une vitre brisée à la jolie rosace au-dessus de la porte laissa libre un cercle de pierre par lequel il fut convenu que les concurrents passeraient la tête. En moins d'un instant la chapelle fut remplie de concurrents.

Coppenole de sa place ordonnait tout, dirigeait tout, arrangeait tout. Pendant le brouhaha, le cardinal, non moins décontenancé que Gringoire, s'était, sous un prétexte d'affaires et de vêpres, retiré avec toute sa suite, sans que cette foule, que son arrivée

---

1. Gens de justice.

avait remuée si vivement, se fût le moindrement émue à son départ. Guillaume Rym fut le seul qui remarqua la déroute de son éminence.

Les grimaces commencèrent. La première figure qui apparut à la lucarne, avec des paupières retournées au rouge, une bouche ouverte en gueule et un front plissé comme nos bottes à la hussarde de l'empire[1], fit éclater un rire inextinguible. Une seconde, une troisième grimace succédèrent, puis une autre, puis une autre, et toujours les rires et les trépignements de joie redoublaient.

Quant à Gringoire, hélas ! il était resté le seul spectateur de sa pièce !

C'était bien pis que tout à l'heure. Il ne voyait plus que des dos.

Je me trompe. Un gros homme patient était resté tourné vers le théâtre.

Gringoire fut touché au fond du cœur de la fidélité de son unique spectateur. Il s'approcha de lui et lui adressa la parole en lui secouant légèrement le bras ; car le brave homme s'était appuyé à la balustrade et dormait un peu.

« Monsieur, dit Gringoire, je vous remercie. Vous êtes le seul, qui ayez convenablement écouté la pièce. Comment la trouvez vous ?

— Hé ! hé ! répondit le gros magistrat à demi réveillé, assez gaillarde[2], en effet. »

Il fallut que Gringoire se contentât de cet éloge ; car un tonnerre d'applaudissements, mêlé à une pro-

_____

1. Bottes évasées et plissées de l'époque napoléonienne.
2. Pleine d'entrain.

34

digieuse acclamation, vint couper court à leur conversation. Le pape des fous était élu.

« Noël ! Noël ! Noël ! » criait le peuple de toutes parts.

C'était une merveilleuse grimace, en effet, que celle qui rayonnait en ce moment au trou de la rosace. Après toutes les figures pentagones, hexagones et hétéroclites qui s'étaient succédé à cette lucarne sans réaliser cet idéal du grotesque qui s'était construit dans les imaginations exaltées par l'orgie, il ne fallait rien moins, pour enlever les suffrages, que la grimace sublime qui venait d'éblouir l'assemblée. Maître Coppenole lui-même applaudit ; et Clopin Trouillefou, qui avait concouru, et Dieu sait quelle intensité de laideur son visage pouvait atteindre, s'avoua vaincu. Nous n'essayerons pas de donner au lecteur une idée de ce nez tétraèdre, de cette bouche en fer à cheval, de ce petit œil gauche obstrué d'un sourcil roux en broussailles tandis que l'œil droit disparaissait entièrement sous une énorme verrue, de ces dents désordonnées, ébréchées çà et là, comme les créneaux d'une forteresse, de cette lèvre calleuse sur laquelle une de ces dents empiétait comme la défense d'un éléphant, de ce menton fourchu, et surtout de la physionomie répandue sur tout cela, de ce mélange de malice, d'étonnement et de tristesse. Qu'on rêve, si l'on peut, cet ensemble.

L'acclamation fut unanime. On se précipita vers la chapelle. On en fit sortir en triomphe le bienheureux pape des fous. Mais c'est alors que la surprise et l'admiration furent à leur comble. La grimace était son visage.

Ou plutôt toute sa personne était une grimace. Une grosse tête hérissée de cheveux roux ; entre les deux épaules une bosse énorme dont le contrecoup se faisait sentir par-devant ; un système de cuisses et de jambes si étrangement fourvoyées qu'elles ne pouvaient se toucher que par les genoux, et, vues de face, ressemblaient à deux croissants de faucilles qui se rejoignent par la poignée ; de larges pieds, des mains monstrueuses ; et, avec toute cette difformité, je ne sais quelle allure redoutable de vigueur, d'agilité et de courage. Tel était le pape que les fous venaient de se donner.

On eût dit un géant brisé et mal ressoudé.

Quand cette espèce de cyclope parut sur le seuil de la chapelle, immobile, trapu, et presque aussi large que haut, à son surtout mi-parti rouge et violet, semé de campanules d'argent, et surtout à la perfection de sa laideur, la populace le reconnut sur-le-champ et s'écria d'une voix :

« C'est Quasimodo, le sonneur de cloches ! c'est Quasimodo, le bossu de Notre-Dame ! Quasimodo le borgne ! Quasimodo le bancal ! »

Quasimodo se tenait toujours sur la porte de la chapelle, debout, sombre et grave, se laissant admirer.

Un écolier, Robin Poussepain, vint lui rire sous le nez, et trop près. Quasimodo se contenta de le prendre par la ceinture et de le jeter à dix pas à travers la foule. Le tout sans dire un mot.

Maître Coppenole, émerveillé, s'approcha de lui.

« Croix-Dieu ! Saint-Père ! tu as bien la plus belle laideur que j'aie vue de ma vie. Tu mériterais la papauté à Rome comme à Paris. »

En parlant ainsi, il lui mettait la main gaiement sur l'épaule. Quasimodo ne bougea pas. Coppenole poursuivit.

« Tu es un drôle avec qui j'ai démangeaison de ripailler, dût-il m'en coûter un douzain neuf de douze tournois. Que t'en semble ? »

Quasimodo ne répondit pas.

« Croix-Dieu ! dit le chaussetier, est-ce que tu es sourd ? »

Il était sourd en effet.

Cependant il commençait à s'impatienter des façons de Coppenole et se tourna tout à coup vers lui avec un grincement de dents si formidable que le géant flamand recula, comme un bouledogue devant un chat.

Alors il se fit autour de l'étrange personnage un cercle de terreur et de respect. Une vieille femme expliqua à maître Coppenole que Quasimodo était sourd.

« Sourd ! dit le chaussetier avec son gros rire flamand. Croix-Dieu ! c'est un pape accompli.

— Hé ! je le reconnais, s'écria Jehan, qui était enfin descendu de son chapiteau pour voir Quasimodo de plus près, c'est le sonneur de cloches de mon frère l'archidiacre[1]. Bonjour, Quasimodo !

— Diable d'homme ! dit Robin Poussepain, encore tout confus de sa chute. Il paraît ; c'est un bossu. Il marche ; c'est un bancal. Il vous regarde ;

---

1. Ecclésiastique occupant des fonctions importantes d'administration auprès de l'évêque.

c'est un borgne. Vous lui parlez ; c'est un sourd. Ah çà, que fait-il de sa langue ?

— Il parle quand il veut, dit la vieille. Il est devenu sourd à sonner les cloches. Il n'est pas muet. »

Cependant tous les mendiants, tous les laquais, tous les coupebourses, réunis aux écoliers, avaient été chercher processionnellement, dans l'armoire de la basoche, la tiare[1] de carton et la simarre[2] dérisoire du pape des fous. Quasimodo s'en laissa revêtir sans sourciller et avec une sorte de docilité orgueilleuse. Puis on le fit asseoir sur un brancard bariolé. Douze officiers de la confrérie des fous l'enlevèrent sur leurs épaules ; et une espèce de joie amère et dédaigneuse vint s'épanouir sur la face morose du cyclope, quand il vit sous ses pieds difformes toutes ces têtes d'hommes beaux, droits et bien faits. Puis la procession hurlante et déguenillée se mit en marche pour faire, selon l'usage, la tournée intérieure des galeries du Palais, avant la promenade des rues et des carrefours.

---

1. Tiare : coiffe du pape.
2. Simarre : soutane d'intérieur.

6

La Esmeralda

En un clin d'œil la grand-salle fut vide.

À vrai dire, il restait encore quelques spectateurs, en ayant assez du brouhaha et du tumulte. Quelques écoliers étaient demeurés à cheval sur l'entablement des fenêtres et regardaient dans la place.

« Camarades, cria tout à coup un de ces jeunes drôles des croisées, *la Esmeralda ! la Esmeralda* dans la place ! »

Ce mot produisit un effet magique. Tout ce qui restait dans la salle se précipita aux fenêtres, grimpant aux murailles pour voir, et répétant : *La Esmeralda ! la Esmeralda !*

En même temps on entendait au-dehors un grand bruit d'applaudissements.

« Qu'est-ce que cela veut dire, la Esmeralda ? » dit Gringoire en joignant les mains avec désolation.

LIVRE DEUXIÈME

1

De Charybde en Scylla[1]

La nuit arrive de bonne heure en janvier. Les rues étaient déjà sombres quand Gringoire sortit du Palais. Cette nuit tombée lui plut ; il lui tardait d'aborder quelque ruelle obscure et déserte pour y méditer à son aise. Mais, comme il se préparait à traverser la place du Palais pour gagner le tortueux labyrinthe de la Cité, il vit la procession du pape des fous qui sortait aussi du Palais et se ruait au travers de la cour, avec grands cris, grande clarté de torches. Cette vue raviva les écorchures de son amour-propre ; il s'enfuit.

Il voulut prendre le pont Saint-Michel ; des enfants y couraient çà et là avec des lances à feu et des fusées.

« Peste soit des chandelles d'artifice ! » dit Gringoire ; et il tourna le dos. Une rue était devant lui ; il

---

1. Deux monstres de la mythologie grecque, du détroit de Messine en Sicile, qui engloutissaient les marins.

la trouva si noire et si abandonnée qu'il s'y enfonça. Au bout de quelques instants, son pied heurta un obstacle ; il trébucha et tomba. C'était la botte de mai[1], que les clercs de la basoche avaient déposée le matin à la porte d'un président au parlement, en l'honneur de la solennité du jour.

Alors, il lui vint une résolution désespérée. C'était, puisqu'il ne pouvait échapper au pape des fous, aux bottes de mai, aux lances à feu et aux pétards, de s'enfoncer hardiment au cœur même de la fête et d'aller à la place de Grève.

---

1. L'arbre de mai, voir note 2, p. 12.

2

La place de Grève

La place de Grève était un trapèze irrégulier bordé d'un côté par le quai, et des trois autres par une série de maisons hautes, étroites et sombres.

Au centre du côté oriental de la place, s'élevait une lourde construction formée de trois logis juxtaposés : la *Maison-au-Dauphin*, la *Marchandise*, la *Maison-aux-Piliers*.

La Grève avait dès lors cet aspect sinistre que lui conservent encore aujourd'hui l'idée exécrable qu'elle réveille et le sombre hôtel de Dominique Boccador, qui a remplacé la Maison-aux-Piliers. Il faut dire qu'un gibet et un pilori[1] permanents, une justice et une échelle, comme on disait alors, dressés côte à côte au milieu du pavé, ne contribuaient pas peu à faire

---

1. Poteau où l'on attachait les condamnés pour les exposer à la vindicte populaire.

détourner les yeux de cette place fatale, où tant d'êtres pleins de santé et de vie ont agonisé ; où devait naître cinquante ans plus tard cette *fièvre de Saint-Vallier*, cette maladie de la terreur de l'échafaud, la plus monstrueuse de toutes les maladies, parce qu'elle ne vient pas de Dieu, mais de l'homme.

C'est une idée consolante, disons-le en passant, de songer que la peine de mort, qui, il y a trois cents ans, encombrait encore de ses roues de fer, de ses gibets de pierre, de tout son attirail de supplices la Grève, les Halles, la place Dauphine, Montfaucon, la porte Saint-Denis, soit presque mise, aujourd'hui, hors de nos lois et de nos villes, chassée de place en place, et n'ait plus dans notre immense Paris qu'un coin déshonoré de la Grève, qu'une misérable guillotine, furtive, inquiète, honteuse, qui semble toujours craindre d'être prise en flagrant délit, tant elle disparaît vite après avoir fait son coup.

3

Besos para golpes[1]

Lorsque Pierre Gringoire arriva sur la place de Grève, il était transi. Aussi se hâta-t-il de s'approcher du feu de joie qui brûlait magnifiquement au milieu de la place. Mais une foule considérable faisait cercle à l'entour.

« Damnés Parisiens ! se dit-il à lui-même, car Gringoire en vrai poète dramatique était sujet aux monologues, les voilà qui m'obstruent le feu ! Pourtant j'ai bon besoin d'un coin de cheminée. Mes souliers boivent. »

En examinant de plus près, il s'aperçut que le cercle était beaucoup plus grand qu'il ne fallait pour se chauffer au feu du roi et que cette affluence de spec-

1. Des baisers pour des coups (en espagnol).

tateurs n'était pas uniquement attirée par la beauté du cent de bourrées qui brûlait.

Dans un vaste espace laissé libre entre la foule et le feu, une jeune fille dansait.

Gringoire fut fasciné par cette éblouissante vision.

Elle n'était pas grande, mais elle le semblait, tant sa fine taille s'élançait hardiment. Elle était brune, mais on devinait que le jour sa peau devait avoir ce beau reflet doré des Andalouses et des Romaines. Son petit pied aussi était andalou, car il était tout ensemble à l'étroit et à l'aise dans sa gracieuse chaussure. Elle dansait, elle tournait, elle tourbillonnait sur un vieux tapis de Perse, jeté négligemment sous ses pieds ; et chaque fois qu'en tournoyant sa rayonnante figure passait devant vous ses grands yeux noirs vous jetaient un éclair.

« En vérité, pensa Gringoire, c'est une salamandre, c'est une nymphe, c'est une déesse, c'est une bacchante du mont Ménaléen ! »

En ce moment, une des nattes de la chevelure de la « salamandre » se détacha, et une pièce de cuivre qui y était attachée roula à terre.

« Hé non ! dit-il, c'est une bohémienne. »

Toute illusion avait disparu.

Mais, quelque désenchanté que fût Gringoire, l'ensemble de ce tableau n'était pas sans prestige et sans magie ; le feu de joie l'éclairait d'une lumière crue et rouge qui tremblait toute vive sur le cercle des visages de la foule, sur le front brun de la jeune fille, et au fond de la place jetait un blême reflet mêlé aux vacillations de leurs ombres, d'un côté sur la vieille façade noire et ridée de la Maison-aux-Piliers, de l'autre sur les bras de pierre du gibet.

Parmi les mille visages que cette lueur teignait d'écarlate, il y en avait un qui semblait plus encore que tous les autres absorbé dans la contemplation de la danseuse. C'était une figure d'homme, austère, calme et sombre. Cet homme, dont le costume était caché par la foule qui l'entourait, ne paraissait pas avoir plus de trente-cinq ans ; cependant il était chauve ; à peine avait-il aux tempes quelques touffes de cheveux rares et déjà gris ; mais dans ses yeux enfoncés éclatait une jeunesse extraordinaire, une vie ardente, une passion profonde. Il les tenait sans cesse attachés sur la bohémienne, et, tandis que la folle jeune fille de seize ans dansait et voltigeait au plaisir de tous, sa rêverie, à lui, semblait devenir de plus en plus sombre.

La jeune fille, essoufflée, s'arrêta enfin, et le peuple l'applaudit avec amour.

« Djali », dit la bohémienne.

Alors Gringoire vit arriver une jolie petite chèvre blanche, alerte, éveillée, lustrée, avec des cornes dorées, avec des pieds dorés, avec un collier doré, qu'il n'avait pas encore aperçue.

« Djali, dit la danseuse, à votre tour. »

Et, s'asseyant, elle présenta gracieusement à la chèvre son tambour de basque.

« Djali, continua-t-elle, à quel mois sommes-nous de l'année ? »

La chèvre leva son pied de devant et frappa un coup sur le tambour. On était en effet au premier mois. La foule applaudit.

« Djali, reprit la jeune fille en tournant son tambour de basque d'un autre côté, à quel jour du mois sommes-nous ? »

Djali leva son petit pied d'or et frappa six coups sur le tambour.

« Djali, poursuivit l'égyptienne toujours avec un nouveau manège du tambour, à quelle heure du jour sommes-nous ? »

Djali frappa sept coups. Au même moment l'horloge de la Maison-aux-Piliers sonna sept heures.

Le peuple était émerveillé.

« Il y a de la sorcellerie là-dessous », dit une voix sinistre dans la foule. C'était celle de l'homme chauve qui ne quittait pas la bohémienne des yeux.

Elle tressaillit et se retourna.

« Ah ! dit-elle, c'est ce vilain homme ! » Puis, allongeant sa lèvre inférieure au-delà de la lèvre supérieure, elle fit une petite moue qui paraissait lui être familière, pirouetta sur le talon et se mit à recueillir dans un tambour de basque les dons de la multitude.

Tout à coup, elle passa devant Gringoire. Gringoire mit si étourdiment la main à sa poche qu'elle s'arrêta. « Diable ! » dit le poète en trouvant au fond de sa poche la réalité, c'est-à-dire le vide. Cependant la jolie fille était là, le regardant avec ses grands yeux, lui tendant son tambour, et attendant. Gringoire suait à grosses gouttes.

Heureusement un incident inattendu vint à son secours.

« T'en iras-tu, sauterelle d'Égypte ? » cria une voix aigre qui partait du coin le plus sombre de la place.

La jeune fille se retourna, effrayée. Ce n'était plus

la voix de l'homme chauve ; c'était une voix de femme, une voix dévote et méchante.

Du reste, ce cri, qui fit peur à la bohémienne, mit en joie une troupe d'enfants qui rôdait par là.

« C'est la recluse de la Tour-Roland, s'écrièrent-ils avec des rires désordonnés, c'est la sachette[1] qui gronde ! Est-ce qu'elle n'a pas soupé ? portons-lui quelque reste du buffet de la ville ! »

Tous se précipitèrent vers la Maison-aux-Piliers.

Cependant Gringoire avait profité du trouble de la danseuse pour s'éclipser. La clameur des enfants lui rappela que lui aussi n'avait pas soupé. Il courut donc au buffet. Mais les petits drôles avaient de meilleures jambes que lui ; quand il arriva, ils avaient fait table rase.

C'est une chose importune de se coucher sans souper ; c'est une chose moins riante encore de ne pas souper et de ne savoir où coucher. Gringoire en était là. Il entendait son estomac battre la chamade, lorsqu'un chant bizarre, quoique plein de douceur, vint brusquement l'en arracher. C'était la jeune égyptienne qui chantait.

Les paroles qu'elle chantait étaient d'une langue inconnue à Gringoire, mais il l'écoutait avec une sorte de ravissement. C'était, depuis plusieurs heures, le premier moment où il ne se sentît pas souffrir.

Ce moment fut court.

La même voix de femme qui avait interrompu la danse de la bohémienne vint interrompre son chant.

---

1. Référence aux frères sachets, nom qui leur était donné à cause de leur habit simple comme un sac.

51

« Te tairas-tu, cigale d'enfer ? » cria-t-elle, toujours du même coin obscur de la place.

La pauvre *cigale* s'arrêta court. Gringoire se boucha les oreilles.

« Oh ! s'écria-t-il, maudite scie ébréchée, qui vient briser la lyre ! »

Cependant les autres spectateurs murmuraient comme lui : « Au diable la sachette ! » disait plus d'un. Et la vieille trouble-fête invisible eût pu avoir à se repentir de ses agressions contre la bohémienne s'ils n'eussent été distraits en ce moment même par la procession du pape des fous, qui, après avoir parcouru force rues et carrefours, débouchait dans la place de Grève, avec toutes ses torches et toute sa rumeur.

Ce ne fut pas sans surprise et sans effroi que l'on vit tout à coup, au moment où Quasimodo passait triomphalement devant la Maison-aux-Piliers, un homme s'élancer de la foule et lui arracher des mains, avec un geste de colère, sa crosse de bois doré, insigne de sa folle papauté.

Cet homme, ce téméraire, c'était le personnage au front chauve qui, le moment auparavant, mêlé au groupe de la bohémienne, avait glacé la pauvre fille de ses paroles de menace et de haine. Il était revêtu du costume ecclésiastique. Au moment où il sortit de la foule, Gringoire, qui ne l'avait point remarqué jusqu'alors, le reconnut :

« Tiens ! dit-il avec un cri d'étonnement, c'est mon maître en Hermès[1], dom Claude Frollo, l'archidiacre !

_____

1. Dieu grec, dont l'un des attributs est la lyre des poètes.

Que diable veut-il à ce vilain borgne ? Il va se faire dévorer. »

Un cri de terreur s'éleva en effet. Le formidable Quasimodo s'était précipité à bas du brancard, et les femmes détournaient les yeux pour ne pas le voir déchirer l'archidiacre.

Il fit un bond jusqu'au prêtre, le regarda, et tomba à genoux.

Le prêtre lui arracha sa tiare, lui brisa sa crosse, lui lacéra sa chape de clinquant.

Quasimodo resta à genoux, baissa la tête et joignit les mains.

Puis il s'établit entre eux un étrange dialogue de signes et de gestes, car ni l'un ni l'autre ne parlait. Le prêtre, debout, irrité, menaçant, impérieux ; Quasimodo, prosterné, humble, suppliant. Et cependant il est certain que Quasimodo eût pu écraser le prêtre avec le pouce.

Enfin l'archidiacre, secouant rudement la puissante épaule de Quasimodo, lui fit signe de se lever et de le suivre.

Quasimodo se leva.

Alors la confrérie des fous, la première stupeur passée, voulut défendre son pape si brusquement détrôné. Les égyptiens, les argotiers et toute la basoche vinrent japper autour du prêtre.

Quasimodo se plaça devant le prêtre, fit jouer les muscles de ses poings athlétiques, et regarda les assaillants avec le grincement de dents d'un tigre fâché.

Le prêtre reprit sa gravité sombre, fit un signe à Quasimodo et se retira en silence.

Quasimodo marchait devant lui, éparpillant la foule à son passage.

Quand ils eurent traversé la populace et la place, la nuée des curieux et des oisifs voulut les suivre. Quasimodo prit alors l'arrière-garde et suivit l'archidiacre à reculons, trapu, hargneux, monstrueux, hérissé, ramassant ses membres, léchant ses défenses de sanglier, grondant comme une bête fauve et imprimant d'immenses oscillations à la foule avec un geste ou un regard.

On les laissa s'enfoncer tous deux dans une rue étroite et ténébreuse, où nul n'osa se risquer après eux ; tant la seule chimère de Quasimodo grinçant des dents en barrait bien l'entrée.

« Voilà qui est merveilleux, dit Gringoire ; mais où diable trouverai-je à souper ? »

4

Les inconvénients
de suivre une jolie femme
le soir dans les rues

Gringoire, à tout hasard, s'était mis à suivre la bohémienne. Il lui avait vu prendre, avec sa chèvre, la rue de la Coutellerie ; il avait pris la rue de la Coutellerie.

Depuis quelques instants, il avait attiré l'attention de la jeune fille ; elle avait à plusieurs reprises tourné la tête vers lui avec inquiétude ; elle s'était même une fois arrêtée tout court, avait profité d'un rayon de lumière qui s'échappait d'une boulangerie entrouverte pour le regarder fixement du haut en bas ; puis, ce coup d'œil jeté, Gringoire lui avait vu faire cette petite moue qu'il avait déjà remarquée, et elle avait passé outre.

Cette petite moue donna à penser à Gringoire. Il y avait certainement du dédain et de la moquerie dans cette gracieuse grimace. Aussi commençait-il à baisser la tête, à compter les pavés, et à suivre la jeune fille d'un peu plus loin, lorsque, au tournant d'une rue qui venait de la lui faire perdre de vue, il l'entendit pousser un cri perçant.

Il hâta le pas.

La rue était pleine de ténèbres. Pourtant une étoupe imbibée d'huile, qui brûlait dans une cage de fer aux pieds de la Sainte Vierge du coin de la rue, permit à Gringoire de distinguer la bohémienne se débattant dans les bras de deux hommes qui s'efforçaient d'étouffer ses cris. La pauvre petite chèvre, tout effarée, baissait les cornes et bêlait.

« À nous, messieurs du guet[1] ! » s'écria Gringoire, et il s'avança bravement. L'un des hommes qui tenaient la jeune fille se tourna vers lui. C'était la formidable figure de Quasimodo.

Gringoire ne prit pas la fuite, mais il ne fit point un pas de plus.

Quasimodo vint à lui, le jeta à quatre pas sur le pavé d'un revers de la main et s'enfonça rapidement dans l'ombre, emportant la jeune fille ployée sur un de ses bras comme une écharpe de soie. Son compagnon le suivait et la pauvre chèvre courait après tous, avec son bêlement plaintif.

« Au meurtre ! au meurtre ! criait la malheureuse bohémienne.

— Halte-là, misérables, et lâchez-moi cette ribau-

---

1. Troupe chargée de la surveillance de la ville pendant la nuit.

56

de[1] ! » dit tout à coup d'une voix de tonnerre un cavalier qui déboucha brusquement du carrefour voisin.

C'était un capitaine des archers de l'ordonnance du roi, armé de pied en cap, et l'espadon à la main.

Il arracha la bohémienne des bras de Quasimodo stupéfait, la mit en travers sur sa selle, et, au moment où le redoutable bossu, revenu de sa surprise, se précipitait sur lui pour reprendre sa proie, quinze ou seize archers qui suivaient de près leur capitaine parurent l'estramaçon[2] au poing.

Quasimodo fut enveloppé, saisi, garrotté. Il rugissait, il écumait, il mordait, et, s'il eût fait grand jour, nul doute que son visage seul, rendu plus hideux encore par la colère, n'eût mis en fuite toute l'escouade. Mais la nuit il était désarmé de son arme la plus redoutable, de sa laideur.

Son compagnon avait disparu dans la lutte.

La bohémienne se dressa gracieusement sur la selle de l'officier, elle appuya ses deux mains sur les deux épaules du jeune homme, et le regarda fixement quelques secondes, comme ravie de sa bonne mine et du bon secours qu'il venait de lui porter. Puis, rompant le silence la première, elle lui dit, en faisant plus douce encore sa douce voix :

« Comment vous appelez-vous, monsieur le gendarme ?

— Le capitaine Phœbus de Châteaupers, pour vous servir, ma belle ! répondit l'officier en se redressant.

---

1. Femme de mœurs légères.
2. Épée large à double tranchant.

— Merci », dit-elle.

Et, pendant que le capitaine Phœbus retroussait sa moustache à la bourguignonne, elle se laissa glisser à bas du cheval, comme une flèche qui tombe à terre, et s'enfuit.

5

« La cruche cassée »

Gringoire, tout étourdi de sa chute, était resté sur le pavé devant la bonne Vierge du coin de la rue. Peu à peu, il reprit ses sens. Il s'aperçut alors qu'il était un peu dans le milieu du ruisseau.

« Diable de cyclope bossu ! » grommela-t-il entre ses dents.

À peine avait-il fait quelques pas dans la longue ruelle, laquelle était en pente, non pavée, et de plus en plus boueuse et inclinée, qu'il remarqua quelque chose d'assez singulier. Elle n'était pas déserte. Çà et là, dans sa longueur, rampaient je ne sais quelles masses vagues et informes, se dirigeant toutes vers la lueur qui vacillait au bout de la rue, comme ces lourds insectes qui se traînent la nuit de brin d'herbe en brin d'herbe vers un feu de pâtre[1].

Gringoire continua de s'avancer et eut bientôt rejoint celle de ces larves qui se traînait le plus paresseusement à la suite des autres. En s'en approchant, il vit que ce n'était rien autre chose qu'un misérable cul-de-jatte.

Il rejoignit une autre de ces masses ambulantes, et l'examina. C'était un perclus, à la fois boiteux et manchot.

Il voulut doubler le pas ; mais pour la troisième fois quelque chose lui barra le chemin. Ce quelque chose, ou plutôt ce quelqu'un, c'était un aveugle.

Il tourna le dos à l'aveugle et poursuivit son chemin. Mais l'aveugle se mit à allonger le pas en même temps que lui ; et voilà que le perclus, voilà que le cul-de-jatte surviennent de leur côté avec grande hâte et grand bruit d'écuelle et de béquilles sur le pavé.

Gringoire se mit à courir. L'aveugle courut. Le boiteux courut. Le cul-de-jatte courut.

Et puis, à mesure qu'il s'enfonçait dans la rue, culs-de-jatte, aveugles, boiteux pullulaient autour de lui, et des manchots, et des borgnes, et des lépreux hurlant, beuglant, glapissant, se ruant vers la lumière, et vautrés dans la fange comme des limaces après la pluie.

Gringoire, ne sachant trop ce que cela allait devenir, marchait effaré au milieu.

L'idée lui vint d'essayer de retourner sur ses pas.

---

1. Berger.

Mais il était trop tard. Toute cette légion s'était refermée derrière lui. Il continua donc, poussé à la fois par ce flot irrésistible, par la peur et par un vertige qui lui faisait de tout cela une sorte de rêve horrible.

Enfin, il atteignit l'extrémité de la rue. Elle débouchait sur une place immense, où mille lumières éparses vacillaient dans le brouillard confus de la nuit. Gringoire s'y jeta, espérant échapper par la vitesse de ses jambes aux trois spectres infirmes qui s'étaient cramponnés à lui.

« *Onde vas, hombre*[1] ! » cria le perclus jetant là ses béquilles et courant après lui avec les deux meilleures jambes qui eussent jamais tracé un pas géométrique sur le pavé de Paris.

Cependant le cul-de-jatte, debout sur ses pieds, coiffait Gringoire de sa lourde jatte ferrée, et l'aveugle le regardait en face avec des yeux flamboyants.

« Où suis-je ? dit le poète terrifié.

— Dans la Cour des Miracles », répondit un quatrième spectre qui les avait accostés.

Le pauvre poète jeta les yeux autour de lui. Il était en effet dans cette redoutable Cour des Miracles, où jamais honnête homme n'avait pénétré à pareille heure ; cercle magique où les officiers du Châtelet et les sergents de la prévôté qui s'y aventuraient disparaissaient en miettes ; cité des voleurs, hideuse verrue à la face de Paris ; égout d'où s'échappait chaque matin, et où revenait croupir chaque nuit, ce ruisseau de vices, de mendicité et de vagabondage. Immense

---

1. « Où vas-tu, l'homme ? » (en espagnol).

vestiaire, en un mot, où s'habillaient et se déshabil-
laient à cette époque tous les acteurs de cette comédie
éternelle que le vol, la prostitution et le meurtre jouent
sur le pavé de Paris.

C'était une vaste place, irrégulière et mal pavée,
comme toutes les places de Paris alors. Des feux,
autour desquels fourmillaient des groupes étranges, y
brillaient çà et là. Tout cela allait, venait, criait. On
entendait des rires aigus, des vagissements d'enfants,
des voix de femmes. Les mains, les têtes de cette foule,
noires sur le fond lumineux, y découpaient mille
gestes bizarres.

Gringoire, de plus en plus effaré, pris par les trois
mendiants comme par trois tenailles, assourdi d'une
foule d'autres visages qui moutonnaient et aboyaient
autour de lui, tâchait de rallier sa présence d'esprit
pour se rappeler si l'on était à un samedi[1]. Mais ses
efforts étaient vains.

En ce moment, un cri distinct s'éleva dans la cohue
bourdonnante qui l'enveloppait : « Menons-le au roi !
menons-le au roi !

— Sainte Vierge ! murmura Gringoire, le roi d'ici,
ce doit être un bouc. »

On l'entraîna. Ce fut à qui mettrait la griffe sur lui.
Le pourpoint déjà malade du poète rendit le dernier soupir dans cette lutte.

En traversant l'horrible place, son vertige se dissipa. Il fallut bien s'apercevoir qu'il marchait dans la

---

1. À un sabbat, un rendez-vous de sorciers et de sorcières
pour célébrer le diable.

boue, qu'il était coudoyé par des voleurs, qu'il n'y allait pas de son âme, mais tout bonnement de sa vie.

La Cour des Miracles était en effet un cabaret, mais un cabaret de brigands, tout aussi rouge de sang que de vin.

Le spectacle qui s'offrit à ses yeux, quand son escorte en guenilles le déposa enfin au terme de sa course, n'était pas propre à le ramener à la poésie.

Autour d'un grand feu qui brûlait sur une large dalle ronde, et qui pénétrait de ses flammes les tiges rougies d'un trépied vide pour le moment, quelques tables vermoulues étaient dressées, çà et là. Un tonneau était près du feu et un mendiant sur le tonneau. C'était le roi sur son trône.

Les trois qui avaient Gringoire l'amenèrent devant ce tonneau.

Gringoire n'osait souffler ni lever les yeux.

« *Hombre, quita tu sombrero*[1] », dit l'un des trois drôles à qui il était ; et avant qu'il eût compris ce que cela voulait dire, l'autre lui avait pris son chapeau. Misérable bicoquet, il est vrai, mais bon encore un jour de soleil ou un jour de pluie. Gringoire soupira.

Cependant le roi, du haut de sa futaille, lui adressa la parole.

« Qu'est-ce que c'est que ce maraud ? »

Gringoire tressaillit. Cette voix, quoique accentuée par la menace, lui rappela une autre voix qui le matin même avait porté le premier coup à son mystère en nasillant au milieu de l'auditoire : *La charité, s'il vous*

---

1. « Eh, l'homme ! enlève ton chapeau ! » (en espagnol).

plaît ! Il leva la tête. C'était en effet Clopin Trouille-fou.

Clopin Trouillefou, revêtu de ses insignes royaux, n'avait pas un haillon de plus ni de moins. Sa plaie au bras avait déjà disparu. Il portait à la main un de ces fouets à lanières de cuir blanc dont se servaient alors les sergents à verge pour serrer la foule, et que l'on appelait *boullayes*. Il avait sur la tête une espèce de coiffure cerclée et fermée par le haut.

Cependant Gringoire, sans savoir pourquoi, avait repris quelque espoir en reconnaissant dans le roi de la Cour des Miracles son maudit mendiant de la grand-salle.

« Maître, balbutia-t-il... Monseigneur... Sire... Comment dois-je vous appeler ? dit-il enfin.

— Monseigneur, sa majesté, ou camarade, appelle-moi comme tu voudras. Mais dépêche. Qu'as-tu à dire pour ta défense ? »

Pour ta défense ! pensa Gringoire, ceci me déplaît. Il reprit en bégayant : « Je suis celui qui ce matin...

— Par les ongles du diable ! interrompit Clopin, ton nom, maraud, et rien de plus. Écoute. Tu es devant trois puissants souverains : moi, Clopin Trouillefou, roi de Thunes, suzerain suprême du royaume de l'argot ; Mathias Hungadi Spicali, duc d'Égypte et de Bohême, Guillaume Rousseau, empereur de Galilée. Nous sommes tes juges. Tu es entré dans le royaume d'argot sans être argotier, tu as violé les privilèges de notre ville. Tu dois être puni, à moins que tu ne sois capon, franc-mitou ou rifodé, c'est-à-dire, dans l'argot des honnêtes gens, voleur, mendiant ou vagabond. Es-tu quelque chose comme cela ? Justifie-toi. Décline tes qualités.

— Hélas ! dit Gringoire, je n'ai pas cet honneur. Je suis l'auteur...

— Cela suffit, reprit Trouillefou sans le laisser achever. Tu vas être pendu.

— Messeigneurs les empereurs et rois, dit Gringoire avec sang-froid (car je ne sais comment la fermeté lui était revenue, et il parlait résolument), vous n'y pensez pas. Je m'appelle Pierre Gringoire, je suis le poëte dont on a représenté ce matin une moralité dans la grand-salle du Palais.

— Ah ! c'est toi, maître ! dit Clopin. J'y étais, par la tête-Dieu ! Eh bien ! camarade, est-ce une raison, parce que tu nous as ennuyés ce matin, pour ne pas être pendu ce soir ?

— Pardon, monseigneur le roi de Thunes, répliqua Gringoire, disputant le terrain pied à pied. Un moment !... Écoutez-moi... Vous ne me condamnerez pas sans m'entendre... »

Sa malheureuse voix, en effet, était couverte par le vacarme qui se faisait autour de lui.

Cependant Clopin Trouillefou parut conférer un moment avec le duc d'Égypte et l'empereur de Galilée, lequel était complètement ivre. Puis il cria aigrement : « Silence donc ! »

Trouillefou fit un signe, et le duc, et l'empereur, et les archisuppôts et les cagoux vinrent se ranger autour de lui en un fer à cheval, dont Gringoire, toujours rudement appréhendé au corps, occupait le centre. C'était un demi-cercle de haillons, de guenilles, de clinquant, de fourches, de haches, de jambes avinées, de gros bras nus, de figures sordides, éteintes et hébétées. Au milieu de cette table ronde de la gueuserie, Clopin Trouillefou.

« Écoute, dit-il à Gringoire en caressant son menton difforme avec sa main calleuse ; je ne vois pas pourquoi tu ne serais pas pendu. Il est vrai que cela a l'air de te répugner ; et c'est tout simple, vous autres bourgeois, vous n'y êtes pas habitués. Vous vous faites de la chose une grosse idée. Après tout, nous ne te voulons pas de mal. Voici un moyen de te tirer d'affaire pour le moment. Veux-tu être des nôtres ? »

On peut juger de l'effet que fit cette proposition sur Gringoire. Il s'y rattacha énergiquement.

« Je le veux, certes, bellement, dit-il.

— Tu consens, reprit Clopin, à t'enrôler parmi les gens de la petite flambe ?

— De la petite flambe. Précisément, répondit Gringoire.

— Tu te reconnais sujet du royaume d'argot ?

— Du royaume d'argot.

— Truand ?

— Truand.

— Dans l'âme ?

— Dans l'âme.

— Ce n'est pas le tout de vouloir, dit le bourru Clopin, il faut que tu prouves que tu es bon à quelque chose, et pour cela que tu fouilles le mannequin.

— Je fouillerai, dit Gringoire, tout ce qu'il vous plaira. »

Clopin fit un signe. Quelques argotiers se détachèrent du cercle et revinrent un moment après. Ils apportaient deux poteaux terminés à leur extrémité inférieure par deux spatules en charpente, qui leur faisaient prendre aisément pied sur le sol. À l'extrémité supérieure des deux poteaux ils adaptèrent une solive transversale, et le tout constitua une fort jolie potence portative, que Gringoire eut la satisfaction de voir se dresser devant lui en un clin d'œil. Rien n'y manquait, pas même la corde qui se balançait gracieusement au-dessous de la traverse.

« Où veulent-ils en venir ? » se demanda Gringoire avec quelque inquiétude. Un bruit de sonnettes qu'il entendit au même moment mit fin à son anxiété. C'était un mannequin que les truands suspendaient par le cou à la corde, espèce d'épouvantail aux oiseaux, vêtu de rouge, et tellement chargé de grelots et de clochettes qu'on eût pu en harnacher trente mules castillanes. Ces mille sonnettes frissonnèrent quelque temps aux oscillations de la corde, puis s'éteignirent peu à peu, et se turent enfin.

Alors Clopin, indiquant à Gringoire un vieil escabeau chancelant placé au-dessous du mannequin : « Monte là-dessus.

— Mort-diable ! objecta Gringoire, je vais me rompre le cou. Votre escabelle boite.

— Monte », reprit Clopin.

Gringoire monta sur l'escabeau.

« Maintenant, poursuivit le roi des Thunes, tourne ton pied droit autour de ta jambe gauche et dresse-toi sur la pointe du pied gauche.

— Monseigneur, dit Gringoire, vous tenez donc absolument à ce que je me casse quelque membre ? »

Clopin hocha la tête.

« Écoute, l'ami, tu parles trop. Voilà en deux mots de quoi il s'agit. Tu vas te dresser sur la pointe du pied, comme je te le dis ; de cette façon tu pourras atteindre jusqu'à la poche du mannequin ; tu y fouilleras ; tu en tireras une bourse qui s'y trouve ; et si tu fais tout cela sans qu'on entende le bruit d'une sonnette, c'est bien ; tu seras truand. Nous n'aurons plus qu'à te rouer de coups pendant huit jours.

— Ventre-Dieu ! je n'aurais garde, dit Gringoire. Et si je fais chanter les sonnettes ?

— Alors tu seras pendu. Comprends-tu ?

— Non, monseigneur ; je ne comprends plus. Où est mon avantage ? pendu dans un cas, battu dans l'autre ?

— Et truand, reprit Clopin, et truand, n'est-ce rien ? C'est dans ton intérêt que nous te battrons, afin de t'endurcir aux coups.

— Grand merci, répondit le poète.

— Allons, dépêchons, dit le roi en frappant du pied sur son tonneau qui résonna comme une grosse caisse. Fouille le mannequin, et que cela finisse. Je t'avertis une dernière fois que si j'entends un seul grelot tu prendras la place du mannequin.

Voyant qu'il n'y avait ni répit, ni sursis, ni faux-fuyant possible, il prit bravement son parti. Il tourna son pied droit autour de son pied gauche, se dressa sur son pied gauche et étendit le bras ; mais, au moment où il touchait le mannequin, son corps qui n'avait plus qu'un pied chancela sur l'escabeau, il voulut machinalement s'appuyer au mannequin, perdit l'équilibre et tomba lourdement sur la terre, tout assourdi par la fatale vibration des mille sonnettes du mannequin.

« Malédiction ! » cria-t-il en tombant, et il resta comme mort, la face contre terre.

Cependant il entendait le redoutable carillon au-dessus de sa tête, et le rire diabolique des truands, et la voix de Trouillefou, qui disait : « Relevez-moi le drôle et pendez-le-moi rudement. »

Il se leva. On avait déjà décroché le mannequin pour lui faire place.

Les argotiers le firent monter sur l'escabeau. Clopin vint à lui, lui passa la corde au cou, et, lui frappant sur l'épaule : « Adieu, l'ami ! »

Le mot *grâce* expira sur les lèvres de Gringoire. Il promena ses regards autour de lui. Mais aucun espoir ; tous riaient.

« Bellevigne de l'Étoile, dit le roi de Thunes à un énorme truand, qui sortit des rangs, grimpe sur la traverse. »

Bellevigne de l'Étoile monta lestement sur la solive transversale, et au bout d'un instant Gringoire, en levant les yeux, le vit avec terreur accroupi sur la traverse au-dessus de sa tête.

« Maintenant, reprit Clopin Trouillefou, dès que je frapperai des mains, Andry-le-Rouge, tu jetteras l'esca-belle à terre d'un coup de genou ; François Chante-Prune, tu te pendras aux pieds du maraud ; et toi, Bellevigne, tu te jetteras sur ses épaules ; et tous trois à la fois, entendez-vous ? »

Gringoire frissonna.

« Y êtes-vous ? » dit Clopin Trouillefou aux trois argotiers prêts à se précipiter sur Gringoire comme trois araignées sur une mouche ; et il ouvrit ses mains pour frapper.

Mais il s'arrêta, comme averti par une idée subite. « Un instant ! dit-il ; j'oubliais !... Il est d'usage que nous ne pendions pas un homme sans demander s'il y a une femme qui en veut. Camarade, c'est ta dernière ressource. Il faut que tu épouses une truande ou la corde. »

Gringoire, dans ce misérable état, était sans doute peu appétissant. Les truandes se montrèrent médiocrement touchées de la proposition. Le malheureux les entendit répondre : « Non ! non ! pendez-le, il y aura du plaisir pour toutes. »

En ce moment un cri s'éleva parmi les argotiers : « *La Esmeralda ! la Esmeralda !* »

Gringoire tressaillit, et se tourna du côté d'où venait la clameur. La foule s'ouvrit, et donna passage à une pure et éblouissante figure.

C'était la bohémienne.

« La Esmeralda ! » dit Gringoire, stupéfait, au milieu de ses émotions, de la brusque manière dont ce mot magique nouait tous les souvenirs de sa journée.

Cette rare créature paraissait exercer jusque dans la Cour des Miracles son empire de charme et de beauté. Argotiers et argotières se rangeaient doucement à son passage, et leurs brutales figures s'épanouissaient à son regard.

Elle s'approcha du patient avec son pas léger. Sa jolie Djali la suivait. Gringoire était plus mort que vif. Elle le considéra un moment en silence.

« Vous allez pendre cet homme ? dit-elle gravement à Clopin.

— Oui, sœur, répondit le roi de Thunes, à moins
que tu ne le prennes pour mari. »

Elle fit sa jolie moue de la lèvre inférieure.

« Je le prends », dit-elle.

On détacha le nœud coulant, on fit descendre le
poète de l'escabeau. Il fut obligé de s'asseoir, tant la
commotion était vive.

Le duc d'Égypte, sans prononcer une parole,
apporta une cruche d'argile. La bohémienne la présenta à Gringoire. « Jetez-la à terre », lui dit-elle.

La cruche se brisa en quatre morceaux.

« Frère, dit alors le duc d'Égypte en leur imposant
les mains sur le front, elle est ta femme ; sœur, il est
ton mari. Pour quatre ans. Allez. »

6

Une nuit de noces

Au bout de quelques instants, notre poète se trouva dans une petite chambre voûtée en ogive, bien close, bien chaude.

La jeune fille ne paraissait faire aucune attention à lui ; elle allait, venait, dérangeait quelque escabelle, causait avec sa chèvre, faisait sa moue çà et là. Enfin elle vint s'asseoir près de la table, et Gringoire put la considérer à l'aise.

« Voilà donc, se disait-il en la suivant vaguement des yeux, ce que c'est que *la Esmeralda* ! une danseuse des rues ! Une jolie femme, sur ma parole ! – et qui doit m'aimer à la folie pour m'avoir pris de la sorte. » Cette idée en tête et dans les yeux, il s'approcha de la jeune fille d'une façon si militaire et si galante qu'elle recula.

« Que me voulez-vous donc ? dit-elle.

— Pouvez-vous me le demander, adorable Esme-

ralda ? » répondit Gringoire avec un accent si passionné qu'il en était étonné lui-même en s'entendant
parler.

L'égyptienne ouvrit ses grands yeux. « Je ne sais
pas ce que vous voulez dire.

— Eh quoi ! reprit Gringoire, ne suis-je pas à toi,
douce amie ? n'es-tu pas à moi ? »

Et, tout ingénument, il lui prit la taille.

Le corsage de la bohémienne glissa dans ses mains
comme la robe d'une anguille. Elle sauta d'un bond
à l'autre bout de la cellule, se baissa et se redressa,
avec un petit poignard à la main, avant que Gringoire
eût eu seulement le temps de voir d'où ce poignard
sortait ; irritée et fière, les lèvres gonflées, les narines
ouvertes, les joues rouges comme une pomme d'api,
les prunelles rayonnantes d'éclairs. En même temps,
la chevrette blanche se plaça devant elle et présenta
à Gringoire un front de bataille, hérissé de deux
cornes jolies, dorées et fort pointues. Tout cela se fit
en un clin d'œil.

Notre philosophe resta interdit, promenant tour à
tour de la chèvre à la jeune fille des regards hébétés.
« Sainte Vierge ! dit-il enfin quand la surprise lui permit de parler, voilà deux luronnes ! »

La bohémienne rompit le silence de son côté.

« Il faut que tu sois un drôle bien hardi !

— Pardon, madamoiselle, dit Gringoire en souriant. Mais pourquoi donc m'avez-vous pris pour
mari ?

— Fallait-il te laisser pendre ?

— Ainsi, reprit le poète un peu désappointé dans

ses espérances amoureuses, vous n'avez eu d'autre pensée en m'épousant que de me sauver du gibet ?

— Et quelle autre pensée veux-tu que j'aie eue ? » Gringoire se mordit les lèvres.

L'égyptienne éclata de rire, et le poignard mignon disparut comme il était venu, sans que Gringoire pût voir où l'abeille cachait son aiguillon.

Un moment après, il y avait sur la table un pain de seigle, une tranche de lard, quelques pommes ridées et un broc de cervoise. Gringoire se mit à manger.

La jeune fille assise devant lui le regardait faire en silence, visiblement préoccupée d'une autre pensée à laquelle elle souriait de temps en temps, tandis que sa douce main caressait la tête intelligente de la chèvre mollement pressée entre ses genoux.

Cependant, son estomac apaisé, Gringoire sentit quelque fausse honte de voir qu'il ne restait plus qu'une pomme. « Vous ne mangez pas, mademoiselle Esmeralda ? »

Elle répondit par un signe de tête négatif et son regard pensif alla se fixer à la voûte de la cellule.

« De quoi diable est-elle occupée ? » pensa Gringoire.

Il hasarda une question délicate.

« Vous ne voulez donc pas de moi pour votre mari ? »

La jeune fille le regarda fixement et dit : « Non.

— Pour votre ami ? » poursuivit Gringoire.

Elle le regarda encore fixement et dit, après un moment de réflexion : « Peut-être.

— Savez-vous ce que c'est que l'amitié ? demanda-t-il.

— Oui, répondit l'égyptienne. C'est être frère et sœur, deux âmes qui se touchent sans se confondre, les deux doigts de la main.

— Et l'amour ? poursuivit Gringoire.

— Oh ! l'amour ! dit-elle, et sa voix tremblait, et son œil rayonnait. C'est être deux et n'être qu'un. Un homme et une femme qui se fondent en un ange. C'est le ciel. »

La danseuse des rues était, en parlant ainsi, d'une beauté qui frappait singulièrement Gringoire.

Gringoire poursuivit :

« Comment faut-il donc être pour vous plaire ?

— Il faut être homme.

— Et moi, dit-il, qu'est-ce que je suis donc ?

— Un homme a le casque en tête, l'épée au poing et des éperons d'or aux talons.

— Bon, dit Gringoire, sans le cheval point d'homme. Aimez-vous quelqu'un ?

— D'amour ?

— D'amour. »

Elle resta un moment pensive, puis elle dit avec une expression particulière : « Je saurai cela bientôt.

— Pourquoi pas ce soir ? reprit alors tendrement le poète. Pourquoi pas moi ? »

Elle lui jeta un coup d'œil grave.

« Je ne pourrai aimer qu'un homme qui pourra me protéger. »

Gringoire rougit et se le tint pour dit. Il était évident que la jeune fille faisait allusion au peu d'appui qu'il lui avait prêté dans la circonstance critique où elle s'était trouvée deux heures auparavant. Ce souvenir, effacé par ses autres aventures de la soirée, lui revint. Il se frappa le front.

« À propos, mademoiselle, j'aurais dû commencer par là. Pardonnez-moi mes folles distractions. Comment donc avez-vous fait pour échapper aux griffes de Quasimodo ? »

Cette question fit tressaillir la bohémienne.

« Oh ! l'horrible bossu ! » dit-elle en se cachant le visage dans ses mains.

Et elle frissonnait comme dans un grand froid.

« Horrible en effet ! dit Gringoire qui ne lâchait pas son idée ; mais comment avez-vous pu lui échapper ? »

La Esmeralda sourit, soupira et garda le silence.

« Savez-vous pourquoi il vous avait suivie ? reprit Gringoire, tâchant de revenir à sa question par un détour.

— Je ne sais pas, dit la jeune fille. Et elle ajouta vivement : Mais vous qui me suiviez aussi, pourquoi me suivïez-vous ?

— En bonne foi, répondit Gringoire, je ne sais pas non plus. »

Il y eut un silence. Gringoire tailladait la table avec son couteau. La jeune fille sourit et se mit à caresser Djali.

« Pourquoi vous appelle-t-on *la Esmeralda* ? demanda le poète.

— Je n'en sais rien.

— Mais encore ? »

Elle tira de son sein une espèce de petit sachet oblong suspendu à son cou par une chaîne de grains d'adrézarach. Ce sachet exhalait une forte odeur de camphre. Il était recouvert de soie verte et portait à son centre une grosse verroterie verte, imitant l'émeraude.

« C'est peut-être à cause de cela », dit-elle.

Gringoire voulut prendre le sachet. Elle recula. « N'y touchez pas ! c'est une amulette[1]. Je ne sais seulement pas ton nom.

— Mon nom ? si vous le voulez, le voici. Pierre Gringoire.

— J'en sais un plus beau, dit-elle : *Phœbus*. Puis se tournant vers le poète : *Phœbus*, qu'est-ce que cela veut dire ? »

Gringoire ne fut pas fâché de faire briller son érudition. Il répondit en se rengorgeant :

« C'est un mot latin qui veut dire *soleil*.

— Soleil ! reprit-elle.

— C'est le nom d'un bel archer, qui était dieu, ajouta Gringoire.

— Dieu ! » répéta l'égyptienne. Et il y avait dans son accent quelque chose de pensif et de passionné.

En ce moment, un de ses bracelets se détacha et tomba. Gringoire se baissa vivement pour le ramasser. Quand il se releva, la jeune fille et la chèvre avaient disparu. Il entendit le bruit d'un verrou. C'était une petite porte communiquant sans doute à une cellule voisine, qui se fermait en dehors.

« M'a-t-elle au moins laissé un lit ? » dit notre philosophe.

Il fit le tour de la cellule. Il n'y avait de meuble

---

1. Petit objet porte-bonheur que l'on porte sur soi.

propre au sommeil qu'un assez long coffre de bois, et encore le couvercle en était-il sculpté.

« Allons, dit-il en s'y accommodant de son mieux. Il faut se résigner. Mais voilà une étrange nuit de noces. C'est dommage. Il y avait dans ce mariage à la cruche cassée quelque chose de naïf qui me plaisait. »

LIVRE TROISIÈME

1

Les bonnes âmes

Il y avait seize ans, à l'époque où se passe cette histoire, que par un beau matin de dimanche de la Quasimodo[1], une créature vivante avait été déposée, après la messe, dans l'église de Notre-Dame, sur le bois de lit scellé dans le parvis. C'est sur ce bois de lit qu'il était d'usage d'exposer les enfants trouvés à la charité publique. Les prenait là qui voulait. Devant le bois de lit était un bassin de cuivre pour les aumônes.

L'espèce d'être vivant qui gisait sur cette planche le matin de la Quasimodo, en l'an du seigneur 1467, paraissait exciter à un haut degré la curiosité du groupe assez considérable qui s'était amassé autour du bois de lit. Le groupe était formé en grande partie

---

1. Le premier dimanche après Pâques.

de personnes du beau sexe. Ce n'étaient presque que des vieilles femmes.

Au premier rang et les plus inclinées sur le lit, on en remarquait quatre qu'à leur cagoule grise, sorte de soutane, on devinait attachées à quelque confrérie dévote. C'étaient Agnès la Herme, Jehanne de la Tarme, Henriette la Gaultière, Gauchère la Violette, toutes quatre veuves, toutes quatre bonnes-femmes de la chapelle Étienne-Haudry, sorties de leur maison, avec la permission de leur maîtresse, pour venir entendre le sermon.

« Qu'est-ce que c'est que cela, ma sœur ? disait Agnès à Gauchère, en considérant la petite créature exposée qui glapissait et se tordait sur le lit de bois, tout effrayée de tant de regards.

— Qu'est-ce que nous allons devenir, disait Jehanne, si c'est comme cela qu'ils font les enfants à présent ?

— Je ne me connais pas en enfants, reprenait Agnès, mais ce doit être un péché de regarder celui-ci.

— Ce n'est pas un enfant, Agnès.

— C'est un singe manqué, observait Gauchère.

— C'est un vrai monstre d'abomination que ce soi-disant enfant trouvé, reprenait Jehanne.

— Il braille à faire sourd un chantre, poursuivait Gauchère. Tais-toi donc, petit hurleur !

— J'espère bien, reprenait la Gaultière, qu'il ne sera postulé[1] par personne.

— Ah ! mon Dieu ! s'écriait Agnès, ces pauvres

---

1. Demandé.

nourrices qui sont là dans le logis des enfants trouvés qui fait le bas de la ruelle en descendant la rivière, tout à côté de monseigneur l'évêque, si on allait leur apporter ce petit monstre à allaiter ! J'aimerais mieux donner à téter à un vampire.

— Est-elle innocente, cette pauvre la Herme ! reprenait Jehanne. Vous ne voyez pas, ma sœur, que ce petit monstre a au moins quatre ans, et qu'il aurait moins appétit de votre tétin que d'un tournebroche. »

En effet, ce n'était pas un nouveau-né que « ce petit monstre ». C'était une petite masse fort anguleuse et fort remuante, emprisonnée dans un sac de toile imprimé au chiffre de messire Guillaume Chartier, pour lors évêque de Paris, avec une tête qui sortait. Cette tête était chose assez difforme. On n'y voyait qu'une forêt de cheveux roux, un œil, une bouche et des dents. L'œil pleurait, la bouche criait, et les dents ne paraissaient demander qu'à mordre. Le tout se débattait dans le sac, au grand ébahissement de la foule qui grossissait et se renouvelait sans cesse à l'entour.

Dame Aloïse de Gondelaurier, une femme riche et noble qui tenait une jolie fille d'environ six ans à la main, et qui traînait un long voile à la corne d'or de sa coiffe, s'arrêta en passant devant le lit et considéra un moment la malheureuse créature, pendant que sa charmante petite fille Fleur-de-Lys de Gondelaurier, toute vêtue de soie et de velours, épelait avec son joli petit doigt l'écriteau permanent accroché au bois de lit : ENFANTS TROUVÉS.

« En vérité, dit la dame en se détournant avec

dégoût, je croyais qu'on n'exposait ici que des enfants. »

Elle tourna le dos, en jetant dans le bassin un florin d'argent qui retentit parmi les liards, et fit ouvrir de grands yeux aux pauvres bonnes-femmes de la chapelle Étienne-Haudry.

Depuis quelques moments un jeune prêtre écoutait. C'était une figure sévère, un front large, un regard profond. Il écarta silencieusement la foule, examina le *petit* et étendit la main sur lui.

« J'adopte cet enfant », dit le prêtre.

Il le prit dans sa soutane et l'emporta. L'assistance le suivit d'un œil effaré. Un moment après, il avait disparu par la Porte-Rouge qui conduisait alors de l'église au cloître.

Quand la première surprise fut passée, Jehanne de la Tarme se pencha à l'oreille de la Gaultière :

« Je vous avais bien dit, ma sœur, que ce jeune clerc monsieur Claude Frollo est un sorcier. »

2

Claude Frollo

En effet, Claude Frollo n'était pas un personnage vulgaire.

Il appartenait à l'une de ces familles moyennes qu'on appelait indifféremment, dans le langage impertinent du siècle dernier, haute bourgeoisie ou petite noblesse.

Claude Frollo avait été destiné dès l'enfance par ses parents à l'état ecclésiastique. On lui avait appris à lire dans du latin. Il avait été élevé à baisser les yeux et à parler bas. Tout enfant, son père l'avait cloîtré au collège de Torchi en l'Université. C'est là qu'il avait grandi, sur le missel et le lexicon[1].

C'était d'ailleurs un enfant triste, grave, sérieux, qui étudiait ardemment et apprenait vite. À seize ans, le

---

1. Dictionnaire de grec.

jeune clerc eût pu tenir tête, en théologie mystique, à un père de l'Église ; en théologie canonique, à un père des conciles ; en théologie scolastique, à un docteur de Sorbonne.

La théologie dépassée, il se jeta sur la médecine et sur les arts libéraux. Il étudia la science des herbes, la science des onguents. Il devint expert aux fièvres et aux contusions. Il parcourut également tous les degrés de licence, maîtrise et doctorerie des arts. Il étudia les langues, le latin, le grec, l'hébreu. À dix-huit ans, les quatre facultés y avaient passé. Il semblait au jeune homme que la vie avait un but unique : savoir.

Ce fut vers cette époque environ que l'été excessif de 1466 fit éclater cette grande peste qui enleva plus de quarante mille créatures dans la vicomté de Paris. Le bruit se répandit dans l'Université que la rue Tire-chappe était en particulier dévastée par la maladie. C'est là que résidaient les parents de Claude. Le jeune écolier courut fort alarmé à la maison paternelle. Quand il y entra, son père et sa mère étaient morts de la veille. Un tout jeune frère qu'il avait au maillot vivait encore et criait abandonné dans son berceau. C'était tout ce qui restait à Claude de sa famille. Le jeune homme prit l'enfant sous son bras et sortit pensif. Jusque-là il n'avait vécu que dans la science, il commençait à vivre dans la vie.

Cette catastrophe fut une crise dans l'existence de Claude. Orphelin, aîné, chef de famille à dix-neuf ans, il se sentit rudement rappelé des rêveries de l'école aux réalités de ce monde. Alors, ému de pitié, il se prit de passion et de dévouement pour cet enfant, son frère ; chose étrange et douce qu'une affection humaine, à lui qui n'avait encore aimé que des livres.

Cette affection se développa à un point singulier. Dans une âme aussi neuve, ce fut comme un premier amour. Séparé depuis l'enfance de ses parents, qu'il avait à peine connus, cloîtré et comme muré dans ses livres, avide avant tout d'étudier et d'apprendre, exclusivement attentif jusqu'alors à son intelligence qui se dilatait dans la science, à son imagination qui grandissait dans les lettres, le pauvre écolier n'avait pas encore eu le temps de sentir la place de son cœur. Ce jeune frère, sans mère ni père, ce petit enfant, qui lui tombait brusquement du ciel sur les bras, fit de lui un homme nouveau. Il s'aperçut que la vie sans tendresse et sans amour n'était qu'un rouage sec, criard et déchirant.

Il se jeta donc dans l'amour de son petit Jehan avec la passion d'un caractère déjà profond, ardent, concentré. Il fut à l'enfant plus qu'un frère, il lui devint une mère.

Dès lors, se sentant un fardeau à traîner, il prit la vie très au sérieux. Il se rattacha donc plus que jamais à sa vocation cléricale. Son mérite, sa science, sa qualité de vassal immédiat de l'évêque de Paris lui ouvraient toutes grandes les portes de l'Église. À vingt ans, par dispense spéciale du saint-siège, il était prêtre, et desservait, comme le plus jeune des chapelains de Notre-Dame, l'autel qu'on appelle, à cause de la messe tardive qui s'y dit, *altare pigrorum*[1].

---

1. Autel des paresseux (en latin).

Ce mélange de savoir et d'austérité, si rare à son âge, l'avait rendu promptement au respect et à l'admiration du cloître. Du cloître, sa réputation de savant avait été au peuple, où elle avait un peu tourné, chose fréquente alors, au renom de sorcier.

C'est au moment où il revenait, le jour de la Quasimodo, de dire sa messe des paresseux à leur autel, que son attention avait été éveillée par le groupe de vieilles glapissant autour du lit des enfants trouvés.

C'est alors qu'il s'était approché de la malheureuse petite créature si haïe et si menacée. Cette détresse, cette difformité, cet abandon, la pensée de son jeune frère, la chimère qui frappa tout à coup son esprit que, s'il mourait, son cher petit Jehan pourrait bien aussi, lui, être jeté misérablement sur la planche des enfants trouvés, tout cela lui était venu au cœur à la fois, une grande pitié s'était remuée en lui, et il avait emporté l'enfant.

Il baptisa son enfant adoptif et le nomma *Quasimodo*, soit qu'il voulût marquer par là le jour où il l'avait trouvé, soit qu'il voulût caractériser par ce nom à quel point la pauvre petite créature était incomplète et à peine ébauchée. En effet, Quasimodo, borgne, bossu, cagneux, n'était guère qu'un *à peu près*[1].

---

1. En fait, en latin, « quasimodo » signifie « comme à la manière de » et non « à peu près ».

3

Immanis pecoris custos, immanior ipse[1]

Or, en 1482, Quasimodo avait grandi. Il était devenu, depuis plusieurs années, sonneur de cloches de Notre-Dame, grâce à son père adoptif Claude Frollo, lequel était devenu archidiacre de Josas, grâce à son suzerain messire Louis de Beaumont, lequel était devenu évêque de Paris en 1472.

Avec le temps, il s'était formé je ne sais quel lien intime qui unissait le sonneur à l'église. Séparé à jamais du monde par la double fatalité de sa naissance inconnue et de sa nature difforme, emprisonné dès l'enfance dans ce double cercle infranchissable, le pauvre malheureux s'était accoutumé à ne rien voir dans ce monde au-delà des religieuses murailles qui l'avaient recueilli à leur ombre.

---

1. « Gardien d'un troupeau monstre, et plus monstre lui-même » (en latin) ; vers inspiré des *Bucoliques* de Virgile.

Plus tard, la première fois qu'il s'accrocha machinalement à la corde des tours, et qu'il s'y pendit, et qu'il mit la cloche en branle, cela fit à Claude, son père adoptif, l'effet d'un enfant dont la langue se délie et qui commence à parler.

C'est à grande peine et à grande patience que Claude Frollo était parvenu à lui apprendre à parler. Mais une fatalité était attachée au pauvre enfant trouvé. Sonneur de Notre-Dame à quatorze ans, une nouvelle infirmité était venue le parfaire ; les cloches lui avaient brisé le tympan ; il était devenu sourd. La seule porte que la nature lui eût laissée toute grande ouverte sur le monde s'était brusquement fermée à jamais.

En se fermant, elle intercepta l'unique rayon de joie et de lumière qui pénétrât encore dans l'âme de Quasimodo. Cette âme tomba dans une nuit profonde. La mélancolie du misérable devint incurable et complète comme sa difformité. Ajoutons que sa surdité le rendit en quelque façon muet. Car, pour ne pas donner à rire aux autres, du moment où il se vit sourd, il se détermina résolument à un silence qu'il ne rompait guère que lorsqu'il était seul. Il lia volontairement cette langue que Claude Frollo avait eu tant de peine à délier.

Le second effet de son malheur, c'était de le rendre méchant.

D'ailleurs, il faut lui rendre cette justice, la méchanceté n'était peut-être pas innée en lui. Dès ses premiers pas parmi les hommes, il s'était senti, puis il s'était vu conspué, flétri, repoussé. La parole humaine pour lui, c'était toujours une raillerie ou une malédiction. En grandissant il n'avait trouvé que la haine autour de lui.

Après tout, il ne tournait qu'à regret sa face du côté des hommes. Sa cathédrale lui suffisait. Elle était peuplée de figures de marbre, rois, saints, évêques, qui du moins ne lui éclataient pas de rire au nez et n'avaient pour lui qu'un regard tranquille et bienveillant. Les autres statues, celles des monstres et des démons, n'avaient pas de haine pour lui Quasimodo. Il leur ressemblait trop pour cela. Elles raillaient bien plutôt les autres hommes. Les saints étaient ses amis et le bénissaient ; les monstres étaient ses amis et le gardaient. Aussi avait-il de longs épanchements avec eux. Aussi passait-il quelquefois des heures entières, accroupi devant une de ces statues, à causer solitairement avec elle.

Ce qu'il aimait avant tout dans l'édifice maternel, ce qui réveillait son âme et lui faisait ouvrir ses pauvres ailes qu'elle tenait si misérablement repliées dans sa caverne, ce qui le rendait parfois heureux, c'étaient les cloches. Depuis le carillon de l'aiguille de la croisée jusqu'à la grosse cloche du portail, il les avait toutes en tendresse. Le clocher de la croisée, les deux tours étaient pour lui comme trois grandes cages dont les oiseaux, élevés par lui, ne chantaient que pour lui.

Il est vrai que leur voix était la seule qu'il pût entendre encore. À ce titre, la grosse cloche était sa bien-aimée. C'est elle qu'il préférait dans cette famille de filles bruyantes qui se trémoussait autour de lui, les jours de fête. Cette grande cloche s'appelait Marie. Elle était seule dans la tour méridionale avec sa sœur Jacqueline, cloche de moindre taille, enfermée dans une cage moins grande à côté de la sienne. Dans la deuxième tour il y avait six autres cloches, et enfin les six plus petites habitaient le clocher sur la croisée avec la cloche de bois, qu'on ne sonnait que depuis l'après-dîner du jeudi absolu, jusqu'au matin de la veille de Pâques. Quasimodo avait donc quinze cloches dans son sérail, mais la grosse Marie était la favorite.

La présence de cet être extraordinaire faisait circuler dans toute la cathédrale je ne sais quel souffle de vie. Et de fait, la cathédrale semblait une créature docile et obéissante sous sa main ; elle était possédée et remplie de Quasimodo comme d'un génie familier. On eût dit qu'il faisait respirer l'immense édifice. Il y était partout en effet. Tantôt on apercevait avec effroi au plus haut d'une des tours un nain bizarre qui grimpait, serpentait, rampait à quatre pattes, descendait en dehors sur l'abîme, sautelait de saillie en saillie, et allait fouiller dans le ventre de quelque gorgone sculptée ; c'était Quasimodo dénichant des corbeaux. Tantôt on se heurtait dans un coin obscur de l'église à une sorte de chimère vivante, accroupie et renfrognée ; c'était Quasimodo pensant. Tantôt on avisait sous un clocher une tête énorme et un paquet de membres désordonnés se balançant avec fureur au bout d'une corde ; c'était Quasimodo sonnant les vêpres ou l'angélus. Souvent, la nuit, on voyait errer une forme hideuse sur la frêle balustrade découpée en dentelle qui couronne les tours et borde le pourtour de l'abside ; c'était encore le bossu de Notre-Dame.

4

Le chien et son maître

Il y avait pourtant une créature humaine que Quasimodo exceptait de sa malice et de sa haine pour les
autres, et qu'il aimait autant, plus peut-être que sa
cathédrale ; c'était Claude Frollo.

La chose était simple. Claude Frollo l'avait recueilli,
l'avait adopté, l'avait nourri, l'avait élevé. Tout petit,
c'est dans les jambes de Claude Frollo qu'il avait coutume de se réfugier quand les chiens et les enfants
aboyaient après lui. Claude Frollo lui avait appris à
parler, à lire, à écrire. Claude Frollo enfin l'avait fait
sonneur de cloches. Or, donner la grosse cloche en
mariage à Quasimodo, c'était donner Juliette à Roméo.

Aussi la reconnaissance de Quasimodo était-elle
profonde, passionnée, sans bornes ; et quoique le
visage de son père adoptif fût souvent brumeux et
sévère, quoique sa parole fût habituellement brève,
dure, impérieuse, jamais cette reconnaissance ne

s'était démentie un seul instant. L'archidiacre avait en Quasimodo l'esclave le plus soumis, le valet le plus docile, le dogue le plus vigilant. Quand le pauvre sonneur de cloches était devenu sourd, il s'était établi entre lui et Claude Frollo une langue de signes, mystérieuse et comprise d'eux seuls. De cette façon l'archidiacre était le seul être humain avec lequel Quasimodo eût conservé communication. Il n'était en rapport dans ce monde qu'avec deux choses, Notre-Dame et Claude Frollo.

5

Suite de Claude Frollo

En 1482, Quasimodo avait environ vingt ans, Claude Frollo environ trente-six : l'un avait grandi, l'autre avait vieilli.

Comme Claude Frollo avait, disait-on, goûté successivement toutes les pommes de l'arbre de l'intelligence, faim ou dégoût, il avait fini par mordre au fruit défendu. Alors il avait creusé plus avant, plus bas, dessous toute cette science finie, matérielle, limitée ; il avait risqué peut-être son âme, et s'était assis dans la caverne à cette table mystérieuse des alchimistes[1].

C'était du moins ce que l'on supposait, à tort ou à raison.

Il est certain que l'archidiacre visitait souvent le cimetière des Saints-Innocents, où son père et sa mère

1. L'alchimie est une science occulte qui cherche à percer les secrets de la matière.

avaient été enterrés, il est vrai, avec les autres victimes de la peste de 1466 ; mais qu'il paraissait beaucoup moins dévot à la croix de leur fosse qu'aux figures étranges dont était chargé le tombeau de Nicolas Flamel[1] et de Claude Pernelle, construit tout à côté.

Il est certain qu'on l'avait vu souvent longer la rue des Lombards et entrer furtivement dans une petite maison qui faisait le coin de la rue des Écrivains et de la rue Marivault. C'était la maison que Nicolas Flamel avait bâtie, où il était mort vers 1417. Quelques voisins même affirmaient avoir vu une fois par un soupirail l'archidiacre Claude creusant, remuant et bêchant la terre dans ces deux caves dont les jambes étrières avaient été barbouillées de vers et d'hiéroglyphes sans nombre par Nicolas Flamel lui-même. On supposait que Flamel avait enfoui la pierre philosophale dans ces caves.

Il est certain encore que l'archidiacre s'était épris d'une passion singulière pour le portail symbolique de Notre-Dame, cette page de grimoire écrite en pierre par l'évêque Guillaume de Paris. Tout le monde avait pu remarquer les interminables heures qu'il employait souvent, assis sur le parapet du parvis, à contempler les sculptures du portail, examinant tantôt les vierges folles avec leurs lampes renversées, tantôt les vierges sages avec leurs lampes droites ; d'autres fois, calculant l'angle du regard de ce corbeau qui tient au portail de gauche et qui regarde dans l'église un point mystérieux où est certainement

_____

1. Célèbre alchimiste ; Claude Pernelle était son épouse.

96

cachée la pierre philosophale, si elle n'est pas dans la cave de Nicolas Flamel.

Il est certain enfin que l'archidiacre s'était accommodé, dans celle des deux tours qui regarde sur la Grève, tout à côté de la cage aux cloches, une petite cellule fort secrète où nul n'entrait, pas même l'évêque, disait-on, sans son congé. Ce que renfermait cette cellule, nul ne le savait ; mais on avait vu souvent, la nuit, à une petite lucarne qu'elle avait sur le derrière de la tour, paraître, disparaître et reparaître à intervalles courts et égaux une clarté rouge, intermittente, bizarre, qui semblait suivre les aspirations haletantes d'un soufflet, et venir plutôt d'une flamme que d'une lumière. Dans l'ombre, à cette hauteur, cela faisait un effet singulier ; et les bonnes femmes disaient : « Voilà l'archidiacre qui souffle ! l'enfer pétille là-haut. »

Il n'y avait pas dans tout cela, après tout, grandes preuves de sorcellerie, mais cela n'empêchait pas l'archidiacre d'être considéré par les doctes têtes du chapitre comme une âme aventurée dans le vestibule de l'enfer, perdue dans les antres de la cabale, tâtonnant dans les ténèbres des sciences occultes. Le peuple ne s'y méprenait pas non plus ; chez quiconque avait un peu de sagacité, Quasimodo passait pour le démon, Claude Frollo pour le sorcier.

Et si, en vieillissant, il s'était formé des abîmes dans sa science, il s'en était aussi formé dans son cœur. Quel était ce feu intérieur qui éclatait parfois dans son regard ?

D'ailleurs il redoublait de sévérité et n'avait jamais été plus exemplaire. Par état comme par caractère, il s'était toujours tenu éloigné des femmes ; il semblait les haïr plus que jamais.

On remarquait en outre que son horreur pour les Égyptiennes et les zingari[1] semblait redoubler depuis quelque temps. Il avait sollicité de l'évêque un édit qui fît expresse défense aux bohémiennes de venir danser et tambouriner sur la place du Parvis.

---

1. Tziganes, bohémiens.

LIVRE QUATRIÈME

1

Coup d'œil impartial
sur l'ancienne magistrature

C'était un fort heureux personnage, en l'an de grâce 1482, que noble homme Robert d'Estouteville, chevalier, sieur de Beyne, baron d'Yvri et Saint-Andry en la Marche, conseiller et chambellan du roi, et garde de la prévôté de Paris.

Toutefois, messire Robert d'Estouteville s'était éveillé ce matin du 7 janvier, fort bourru et de massacrante humeur.

D'ailleurs, c'était un lendemain de fête, jour d'ennui pour tout le monde, et surtout pour le magistrat chargé de balayer toutes les ordures, au propre et au figuré, que fait une fête à Paris. Et puis, il devait tenir séance au Grand-Châtelet.

Cependant l'audience avait commencé sans lui. Ses lieutenants au civil, au criminel et au particulier, faisaient sa besogne, selon l'usage ; et, dès huit heures du matin, quelques dizaines de bourgeois et de bourgeoises, entassés et foulés dans un coin obscur de l'auditoire d'Embas du Châtelet, entre une forte barrière de chêne et le mur, assistaient avec béatitude au spectacle varié et réjouissant de la justice civile et criminelle, rendue par maître Florian Barbedienne, auditeur au Châtelet, lieutenant de M. le prévôt, un peu pêle-mêle et tout à fait au hasard.

Or l'auditeur était sourd. Léger défaut pour un auditeur. Maître Florian n'en jugeait pas moins sans appel et très congrûment. Il est certain qu'il suffit qu'un juge ait l'air d'écouter ; et le vénérable auditeur remplissait d'autant mieux cette condition, la seule essentielle en bonne justice, que son attention ne pouvait être distraite par aucun bruit.

Du reste, il avait dans l'auditoire un impitoyable contrôleur de ses faits et gestes dans la personne de notre ami Jehan Frollo, ce petit écolier d'hier, ce *piéton* qu'on était toujours sûr de rencontrer partout dans Paris, excepté devant la chaire des professeurs.

« Tiens », disait-il tout bas à son compagnon Robin Poussepain, qui ricanait à côté de lui, tandis qu'il commentait les scènes qui se déroulaient sous leurs yeux, « voilà Jehanneton du Buisson. La belle fille du cagnard au Marché-Neuf ! Sur mon âme, il la condamne, le vieux ! il n'a donc plus d'yeux que d'oreilles. Quinze sols quatre deniers parisis, pour avoir porté deux patenôtres ! C'est un peu cher. Hé ! deux gentilshommes parmi ces marauds ! Deux écuyers ! Ah ! ils ont joué aux dés. Cent livres parisis d'amende envers le roi ! Le Barbedienne frappe comme un sourd, – qu'il est ! – Je veux être mon frère l'archidiacre si cela m'empêche de jouer ; de jouer le jour, de jouer la nuit, de vivre au jeu, de mourir au jeu, de jouer mon âme après ma chemise ! Attention, Robin Poussepain ! Que vont-ils introduire ? Voilà bien des sergents ! Par Jupiter ! tous les lévriers de la meute y sont. Ce doit être la grosse pièce de la chasse. Un sanglier. C'en est un, Robin ! c'en est un. Et un beau encore ! c'est notre prince d'hier, notre pape des fous, notre sonneur de cloches, notre borgne, notre bossu, notre grimace ! C'est Quasimodo !... »

C'était Quasimodo, sanglé, ficelé, garrotté et sous bonne garde. L'escouade de sergents qui l'environnait était assistée du chevalier du guet en personne, portant brodées les armes de France sur la poitrine et les armes de la ville sur le dos. Il n'y avait rien du reste dans Quasimodo, à part sa difformité, qui pût justifier cet appareil de hallebardes et d'arquebuses. Il était sombre, silencieux et tranquille.

Cependant maître Florian l'auditeur feuilleta avec attention le dossier de la plainte dressée contre Quasimodo, que lui présenta le greffier, et, ce coup d'œil jeté, parut se recueillir un instant. Ayant bien ruminé l'affaire de Quasimodo, il renversa sa tête en arrière et ferma les yeux à demi, pour plus de majesté et d'impartialité, si bien qu'il était tout à la fois en ce moment sourd et aveugle. Double condition sans laquelle il n'est pas de juge parfait. C'est dans cette magistrale attitude qu'il commença l'interrogatoire.

« Votre nom ? »

Or voici un cas qui n'avait pas été « prévu par la loi », celui où un sourd aurait à interroger un sourd.

Quasimodo, que rien n'avertissait de la question à lui adressée, continua de regarder le juge fixement et ne répondit pas. Le juge, sourd et que rien n'avertissait de la surdité de l'accusé, crut qu'il avait répondu, comme faisaient en général tous les accusés, et poursuivit avec son aplomb mécanique et stupide.

« C'est bien. Votre âge ? »

Quasimodo ne répondit pas davantage à cette question. Le juge la crut satisfaite et continua.

« Maintenant, votre état ? »

Toujours même silence. L'auditoire cependant commençait à chuchoter et à s'entre-regarder.

« Il suffit, reprit l'imperturbable auditeur, quand il supposa que l'accusé avait consommé sa troisième réponse. Vous êtes accusé, par-devant nous : *primo*, de trouble nocturne ; *secundo*, de voie de fait déshonnête sur la personne d'une femme folle ; *tertio*, de rébellion et déloyauté envers les archers de l'ordonnance du roi, notre sire. Expliquez-vous sur tous ces points. Greffier, avez-vous écrit ce que l'accusé a dit jusqu'ici ? »

À cette question malencontreuse, un éclat de rire s'éleva, du greffe à l'auditoire, si violent, si fou, si contagieux, si universel, que force fut bien aux deux sourds de s'en apercevoir. Quasimodo se retourna en haussant sa bosse, avec dédain, tandis que maître Florian, étonné comme lui, et supposant que le rire des spectateurs avait été provoqué par quelque réplique irrévérente de l'accusé, rendue visible pour lui par ce haussement d'épaules, l'apostropha avec indignation.

« Vous avez fait là, drôle, une réponse qui mérite-rait la hart[1] ! Savez-vous à qui vous parlez ? »

Cette sortie n'était pas propre à arrêter l'explosion de la gaieté générale. Elle parut à tous si hétéroclite et si cornue que le fou rire gagna jusqu'aux sergents du Parloir-aux-Bourgeois, espèce de valets de pique chez qui la stupidité était d'uniforme. Quasimodo seul conserva son sérieux, par la bonne raison qu'il ne comprenait rien à ce qui se passait autour de lui. Le juge, de plus en plus irrité, crut devoir continuer sur le même ton, espérant par là frapper l'accusé d'une terreur qui réagirait sur l'auditoire et le ramènerait au respect.

Tout à coup la porte basse du fond s'ouvrit et donna passage à M. le prévôt en personne.

À son entrée, maître Florian ne resta pas court, mais faisant un demi-tour sur ses talons, et pointant brusquement sur le prévôt la harangue dont il fou-droyait Quasimodo le moment d'auparavant :

« Monseigneur, dit-il, je requiers telle peine qu'il vous plaira contre l'accusé ci-présent, pour grave et mirifique manquement à la justice. »

Et il se rassit tout essoufflé, essuyant de grosses gouttes de sueur qui tombaient de son front et trem-paient comme larmes les parchemins étalés devant lui. Messire Robert d'Estouteville fronça le sourcil et fit à Quasimodo un geste d'attention tellement impé-rieux et significatif que le sourd en comprit quelque chose.

---

1. La corde de la pendaison.

Le prévôt lui adressa la parole avec sévérité : « Qu'est-ce que tu as donc fait pour être ici, maraud ? »

Le pauvre diable, supposant que le prévôt lui demandait son nom, rompit le silence qu'il gardait habituellement et répondit avec une voix rauque et gutturale : « Quasimodo. »

La réponse coïncidait si peu avec la question que le fou rire recommença à circuler, et que messire Robert s'écria, rouge de colère : « Te railles-tu aussi de moi, drôle fieffé ?

— Sonneur de cloches à Notre-Dame, répondit Quasimodo, croyant qu'il s'agissait d'expliquer au juge qui il était.

— Sonneur de cloches ! reprit le prévôt. Sonneur de cloches ! Je te ferai faire sur le dos un carillon de houssines par les carrefours de Paris. Entends-tu, maraud ?

— Si c'est mon âge que vous voulez savoir, dit Quasi-modo, je crois que j'aurai vingt ans à la Saint-Martin. »

Pour le coup, c'était trop fort ; le prévôt n'y put tenir.

« Ah ! tu nargues la prévôté, misérable ! Messieurs les sergents à verge, vous me mènerez ce drôle au pilori de la Grève, vous le battrez et vous le tournerez une heure. Il me le paiera, tête-Dieu ! et je veux qu'il soit fait un cri du présent jugement, avec assistance de quatre trompettes-jurés, dans les sept châtellenies de la vicomté de Paris. »

En quelques minutes, le jugement fut dressé.

Le greffier présenta la sentence au prévôt, qui y

apposa son sceau, et sortit pour continuer sa tournée dans les auditoires, avec une disposition d'esprit qui dut peupler, ce jour-là, toutes les geôles de Paris. Jehan Frollo et Robin Poussepain riaient sous cape. Quasimodo regardait le tout d'un air indifférent et étonné.

2

Le trou aux rats

Que le lecteur nous permette de le ramener à la place de Grève, que nous avons quittée hier avec Gringoire pour suivre la Esmeralda. Si maintenant le lecteur porte ses regards vers cette antique maison demi-gothique, demi-romane, de la Tour-Roland, qui fait le coin du quai au couchant, il pourra remarquer à l'angle de la façade un gros bréviaire public, à riches enluminures, garanti de la pluie par un petit auvent, et des voleurs par un grillage qui permet toutefois de le feuilleter. À côté de ce bréviaire est une étroite lucarne ogive, fermée de deux barreaux de fer en croix, donnant sur la place ; seule ouverture qui laisse arriver un peu d'air et de jour à une petite cellule sans porte pratiquée au rez-de-chaussée dans l'épaisseur du mur de la vieille maison.

Cette cellule était célèbre dans Paris depuis près de trois siècles que madame Rolande de la Tour-Roland, en deuil de son père mort à la croisade, l'avait fait creuser dans la muraille de sa propre maison pour s'y enfermer à jamais, ne gardant de son palais que ce logis dont la porte était murée et la lucarne ouverte, hiver comme été, donnant tout le reste aux pauvres et à Dieu. La désolée demoiselle avait en effet attendu vingt ans la mort dans cette tombe anticipée, priant nuit et jour pour l'âme de son père, dormant dans la cendre, sans même avoir une pierre pour oreiller, vêtue d'un sac noir, et ne vivant que de ce que la pitié des passants déposait de pain et d'eau sur le rebord de sa lucarne, recevant ainsi la charité après l'avoir faite. À sa mort, au moment de passer dans l'autre sépulcre, elle avait légué à perpétuité celui-ci aux femmes affligées, mères, veuves ou filles, qui auraient beaucoup à prier pour autrui ou pour elles, et qui voudraient s'enterrer vives dans une grande douleur ou dans une grande pénitence.

Depuis la mort de madame Rolande, elle avait été rarement une année ou deux vacante. Maintes femmes étaient venues y pleurer, jusqu'à la mort, des parents, des amants, des fautes.

Selon la mode de l'époque, une légende latine, inscrite sur le mur, indiquait au passant lettré la destination pieuse de cette cellule.

TU, ORA[1].

---

1. « Toi, prie » (en latin).

Ce qui fait que le peuple, dont le bon sens ne voit pas tant de finesse dans les choses, et traduit volontiers *Ludovico Magno*[1] par *Porte Saint-Denis*, avait donné à cette cavité noire, sombre et humide, le nom de *Trou aux Rats*.

---

1. « À Louis XIV le Grand » (en latin) ; dédicace.

3

Histoire d'une galette
au levain de maïs

À l'époque où se passe cette histoire, la cellule de la Tour-Roland était occupée. Si le lecteur désire savoir par qui, il n'a qu'à écouter la conversation de trois braves commères qui, au moment où nous avons arrêté son attention sur le Trou aux Rats, se dirigeaient précisément du même côté en remontant du Châtelet vers la Grève, le long de l'eau.

Deux de ces femmes étaient vêtues en bonnes bourgeoises de Paris. Leur compagne était attifée à peu près de la même manière, mais il y avait dans sa mise et dans sa tournure ce je ne sais quoi qui sent la femme de notaire de province. On voyait, à la manière dont sa ceinture lui remontait au-dessus des hanches, qu'elle n'était pas depuis longtemps à Paris.

Les deux premières marchaient de ce pas particulier aux Parisiennes qui font voir Paris à des provinciales. La provinciale tenait à sa main un gros garçon qui tenait à la sienne une grosse galette.

L'enfant se faisait traîner, et trébuchait à chaque moment, au grand récri de sa mère. Il est vrai qu'il regardait plus la galette que le pavé.

« Dépêchons-nous, damoiselle Mahiette, disait la plus jeune des trois, qui était aussi la plus grosse, à la provinciale. J'ai grand-peur que nous n'arrivions trop tard. On nous disait au Châtelet qu'on allait le mener tout de suite au pilori.

— Ah bah ! que dites-vous donc là, damoiselle Oudarde Musnier ? reprenait l'autre parisienne. Nous avons le temps. Avez-vous jamais vu pilorier, ma chère Mahiette ?

— Oui, dit la provinciale, à Reims.

— Ah bah ! qu'est-ce que c'est que ça, votre pilori de Reims ? Une méchante cage où l'on ne tourne que des paysans. Voilà grand-chose !

— Que des paysans ! dit Mahiette, au Marché-aux-Draps ! à Reims ! Nous y avons vu de fort beaux criminels, et qui avaient tué père et mère ! Des paysans ! pour qui nous prenez-vous, Gervaise ? »

Il est certain que la provinciale était sur le point de se fâcher, pour l'honneur de son pilori. Heureusement la discrète damoiselle Oudarde Musnier détourna à temps la conversation.

« Voyez donc ces gens qui se sont attroupés là-bas au bout du pont ! Il y a au milieu d'eux quelque chose qu'ils regardent.

— En vérité, dit Gervaise, j'entends tambouriner. Je crois que c'est la petite Smeralda qui fait ses

112

momeries avec sa chèvre. Eh vite, Mahiette ! doublez le pas et traînez votre garçon. Vous êtes venue ici pour visiter les curiosités de Paris. Vous avez vu hier les flamands ; il faut voir aujourd'hui l'égyptienne.

— L'égyptienne ! dit Mahiette en rebroussant brusquement chemin, et en serrant avec force le bras de son fils. Dieu m'en garde ! elle me volerait mon enfant ! Viens, Eustache ! »

Et elle se mit à courir sur le quai vers la Grève, jusqu'à ce qu'elle eût laissé le pont bien loin derrière elle. Cependant, l'enfant, qu'elle traînait, tomba sur les genoux ; elle s'arrêta essoufflée. Oudarde et Gervaise la rejoignirent.

« Cette égyptienne vous voler votre enfant ? dit Gervaise. Vous avez là une singulière fantaisie. »

Mahiette hochait la tête d'un air pensif.

« Ce qui est singulier, observa Oudarde, c'est que la sachette a la même idée des égyptiennes.

— Qu'est-ce que c'est que la sachette ? dit Mahiette.

— C'est la recluse du Trou aux Rats, répondit Oudarde.

— Comment ! demanda Mahiette, cette pauvre femme à qui nous portons cette galette ? »

Oudarde fit un signe de tête affirmatif.

« Précisément. Vous allez la voir tout à l'heure à sa lucarne sur la Grève. Elle a le même regard que vous sur ces vagabonds d'Égypte qui tambourinent et disent la bonne aventure au public. On ne sait pas d'où lui vient cette horreur des zingari et des égyptiens. Mais vous, Mahiette, pourquoi donc vous sauvez-vous ainsi, rien qu'à la voir ?

— Oh ! dit Mahiette en saisissant entre ses deux mains la tête ronde de son enfant, je ne veux pas qu'il m'arrive ce qui est arrivé à Paquette la Chantefleurie.

— Ah ! voilà une histoire que vous allez nous raconter, ma bonne Mahiette, dit Gervaise en lui prenant le bras.

— Je veux bien, répondit Mahiette, mais il faut que vous soyez bien de votre Paris pour ne pas savoir cela ! Je vous dirai donc que Paquette la Chantefleurie était une jolie fille de dix-huit ans quand j'en étais une aussi, c'est-à-dire il y a dix-huit ans, et que c'est sa faute si elle n'est pas aujourd'hui, comme moi, une bonne grosse fraîche mère de trente-six ans, avec un homme et un garçon. Au reste, dès l'âge de quatorze ans, il n'était plus temps ! C'était donc la fille de Guybertaut, ménestrel de bateaux à Reims, le même qui avait joué devant le roi Charles VII, à son sacre, quand il descendit notre rivière de Vesle, que même Mme la Pucelle était dans le bateau. Le vieux père mourut, que Paquette était encore tout enfant ; elle n'avait donc plus que sa mère. La mère était une bonne femme, par malheur, et n'apprit rien à Paquette qu'un peu de doreloterie[1] et de bimbeloterie[2] qui n'empêchait pas la petite de devenir fort grande et de rester fort pauvre. Elles demeuraient toutes deux à Reims, le long de la rivière, rue Folle-Peine. Notez ceci ; je crois que c'est là ce qui porta malheur à Paquette. En 61, l'année du sacre de notre Louis onzième, que Dieu garde ! Paquette était si gaie

---

1. Genre de passementerie, d'ornement fait de fil.
2. Fabrication des jouets.

et si jolie qu'on ne l'appelait partout que la Chante-fleurie. Pauvre fille ! Elle avait de jolies dents, elle aimait à rire pour les faire voir. Or fille qui aime à rire s'achemine à pleurer ; les belles dents perdent les beaux yeux. Elle et sa mère gagnaient durement leur vie. Elles étaient bien déchues depuis la mort du ménétrier. Un hiver, c'était en cette année 61, que les deux femmes n'avaient ni bûches ni fagots, et qu'il faisait très froid, cela donna de si belles couleurs à la Chantefleurie que les hommes l'appelaient : Paquette ! que plusieurs l'appelèrent Pâquerette ! et qu'elle se perdit. – Eustache ! que je te voie mordre dans la galette ! – Nous vîmes tout de suite qu'elle était perdue, un dimanche qu'elle vint à l'église avec une croix d'or au cou. À quatorze ans ! voyez-vous cela ! Ce fut d'abord le jeune vicomte de Cormon-treuil, qui a son clocher à trois quarts de lieue de Reims ; puis, messire Henri de Triancourt, chevau-cher du roi ; puis, moins que cela, Chiart de Beaulion, sergent d'armes ; puis toujours de moins jeune en moins noble, elle tomba à Guillaume Racine, ménes-trel de vielle, et à Thierry-de-Mer, lanternier. Alors, pauvre Chantefleurie, elle fut toute à tous. »

Mahiette soupira et essuya une larme qui roulait dans ses yeux.

« Voilà une histoire qui n'est pas très extraordi-naire, dit Gervaise, et je ne vois pas en tout cela d'égyptiens ni d'enfants.

— Patience ! reprit Mahiette ; d'enfant, vous allez en voir un. En 66, il y aura seize ans ce mois-ci à la Sainte-Paule, Paquette accoucha d'une petite fille. La malheureuse ! elle eut grande joie. Elle désirait un enfant depuis longtemps. Sa mère, bonne femme qui n'avait jamais su que fermer les yeux, sa mère était morte. Paquette n'avait plus rien à aimer au monde, plus rien qui l'aimât. Elle était donc bien triste, bien misérable, et creusait ses joues avec ses larmes. Mais dans sa honte, dans sa folie et dans son abandon, il lui semblait qu'elle serait moins honteuse, moins folle et moins abandonnée, s'il y avait quelque chose au monde ou quelqu'un qu'elle pût aimer et qui pût l'aimer. Il fallait que ce fût un enfant, parce qu'un enfant seul pouvait être assez innocent pour cela. Comme elle n'avait pas cessé d'être pieuse, elle en fit son éternelle prière au bon Dieu. Le bon Dieu eut donc pitié d'elle et lui donna une petite fille. Sa joie, je ne vous en parle pas. Il est sûr que la petite Agnès – c'était le nom de l'enfant, nom de baptême, car de nom de famille, il y a longtemps que la Chantefleurie n'en avait plus, – il est certain que cette petite était plus emmaillotée de rubans et de broderies qu'une dauphine du Dauphiné ! Elle avait entre autres une paire de petits souliers, que le roi Louis XI n'en a certainement pas eu de pareils ! Sa mère les lui avait cousus et brodés elle-même, elle y avait mis toutes ses finesses de dorelotière et toutes les passequilles d'une robe de bonne Vierge. C'étaient bien les deux plus mignons souliers roses qu'on pût voir. Ils étaient longs tout au plus comme mon pouce, et il fallait en voir sortir les petits pieds de l'enfant pour croire qu'ils avaient pu y entrer. Il est vrai que ces petits pieds étaient si petits, si jolis, si roses ! plus roses que le satin des souliers ! Quand vous aurez des enfants,

Oudarde, vous saurez que rien n'est plus joli que ces petits pieds et ces petites mains-là.

— Je ne demande pas mieux, dit Oudarde en soupirant, mais j'attends que ce soit le bon plaisir de M. Andry Musnier.

— Au reste, reprit Mahiette, l'enfant de Paquette n'avait pas que les pieds de joli. Je l'ai vue quand elle n'avait que quatre mois. C'était un amour ! Elle avait les yeux plus grands que la bouche. Et les plus charmants fins cheveux noirs, qui frisaient déjà. Cela aurait fait une fière brune, à seize ans ! Sa mère en devenait de plus en plus folle tous les jours. Elle la caressait, la baisait, la chatouillait, la lavait, l'attifait, la mangeait ! Elle en perdait la tête, elle en remerciait Dieu. Il arriva un jour à Reims des espèces de cavaliers fort singuliers. C'étaient des gueux et des truands qui cheminaient dans le pays, conduits par leur duc et par leurs comtes. Ils étaient basanés, avaient les cheveux tout frisés et des anneaux d'argent aux oreilles. Les femmes étaient encore plus laides que les hommes. Elles avaient le visage plus noir et toujours découvert. Tout cela venait en droite ligne de la basse égypte à Reims par la Pologne. Et ce fut dans Reims à qui les irait voir. Ils vous regardaient dans la main et vous disaient des prophéties merveilleuses. Il courait cependant sur eux de méchants bruits d'enfants volés et de bourses coupées et de chair humaine mangée. Les gens sages disaient aux fous : "N'y allez pas !" et y allaient de leur côté en cachette. C'était donc un emportement. Le fait est qu'ils disaient des choses à étonner un cardinal. La pauvre Chantefleurie fut prise de curiosité. Elle voulut savoir si sa jolie petite Agnès ne serait pas un jour impératrice d'Arménie ou d'autre chose. Elle la porta donc aux égyptiens ; et les égyptiennes d'admirer l'enfant, de la caresser, et de s'émerveiller sur sa petite main. Hélas ! à la grande joie de la mère. Elles firent fête surtout aux jolis pieds et aux jolis souliers. L'enfant n'avait pas encore un an. Elle fut très effarouchée des égyptiennes et pleura. Mais la mère la baisa plus fort et s'en alla ravie de la bonne aventure que les devineresses avaient dite à son Agnès. Ce devait être une beauté, une vertu, une reine. Elle retourna donc dans son galetas de la rue Folle-Peine, toute fière d'y rapporter une reine. Le lendemain, elle profita d'un moment où l'enfant dormait sur son lit, car elle la couchait toujours avec elle, laissa tout doucement la porte entr'ouverte et courut raconter à une voisine de la rue de la Séchesserie qu'il viendrait un jour où sa fille Agnès serait servie à la table par le roi d'Angleterre et l'archiduc d'Éthiopie, et cent autres surprises. À son retour, n'entendant pas de cris en montant son escalier, elle se dit : "Bon ! l'enfant dort toujours." Elle trouva sa porte plus grande ouverte qu'elle ne l'avait laissée, elle entra pourtant, la pauvre mère, et courut au lit... L'enfant n'y était plus, la place était vide. Il n'y avait plus rien de l'enfant, sinon un de ses jolis petits souliers. Elle s'élança hors de la chambre, se jeta au bas de l'escalier et se mit à battre les murailles avec sa tête en criant : "Mon enfant ! qui a mon enfant ? qui m'a pris mon enfant ?" La rue était déserte, la maison isolée ; personne ne put lui rien dire. Elle alla par la ville, elle fureta toutes les rues, courut çà et là la journée entière, folle, égarée, terrible, flairant aux portes et aux fenêtres comme une bête farouche qui a perdu ses petits. Elle était haletante, échevelée, effrayante à voir, et elle avait dans les yeux un feu qui séchait ses larmes. Le soir, elle rentra chez elle. Pendant son absence, une voisine avait vu deux égyptiennes y monter en cachette avec un paquet dans leurs bras, puis redescendre après avoir refermé la porte et s'enfuir en hâte. Depuis leur départ, on entendait chez Paquette des espèces de cris d'enfant. La mère rit aux éclats, monta l'escalier comme avec des ailes. Une chose affreuse, Oudarde ! Au lieu de sa gentille petite Agnès, si vermeille et si fraîche, qui était un don du bon Dieu, une façon de petit monstre, hideux, boiteux, borgne, contrefait, se traînait en piaillant sur le carreau. Elle cacha ses yeux avec horreur. "Oh ! dit-elle, est-ce que les sorcières auraient métamorphosé ma fille en cet animal effroyable ?" On se hâta d'emporter le petit pied-bot. Il l'aurait rendue folle. C'était un monstrueux enfant de quelque égyptienne donnée au diable. Il paraissait avoir quatre ans environ. La Chantefleurie s'était jetée sur le petit soulier, tout ce qui lui restait de tout ce qu'elle avait aimé. Elle y demeura si longtemps immobile, muette, sans souffle, qu'on crut qu'elle y était morte. Tout à coup elle se leva et se mit à courir dans Reims en criant : "Au camp des égyptiens ! au camp des égyptiens ! Des sergents pour brûler les sorcières !" Les égyptiens étaient partis. Il faisait nuit noire. On ne put les poursuivre. Le lendemain à deux lieues de Reims, on trouva les restes d'un grand feu, quelques rubans qui avaient appartenu à l'enfant de Paquette, des gouttes de sang et des crottins de bouc. La nuit qui venait de s'écouler était précisément celle d'un samedi. On ne douta plus que les égyptiens n'eussent fait le sabbat dans cette bruyère et qu'ils n'eussent dévoré l'enfant en compagnie de Belzébuth. Quand la Chantefleurie apprit ces choses horribles, elle ne pleura pas, elle remua les lèvres comme pour parler, mais ne put. Le lendemain, ses cheveux étaient gris. Le surlendemain, elle avait disparu.

— Je ne m'étonne plus, dit Gervaise, que la peur des égyptiens vous talonne si fort ! »

Mahiette marchait silencieusement. Elle était absorbée dans cette rêverie qui est en quelque sorte le prolongement d'un récit douloureux. Cependant Gervaise lui adressa la parole : « Et l'on n'a pu savoir ce qu'est devenue la Chantefleurie ?

— Ce qu'est devenue la Chantefleurie ? dit-elle en répétant machinalement les paroles dont l'impression était toute fraîche dans son oreille ; puis, faisant effort pour ramener son attention au sens de ces paroles :

— Ah ! reprit-elle vivement, on ne l'a jamais su.

— Et le monstre ? dit-elle à Mahiette.

— Quel monstre ? demanda celle-ci.

— Le petit monstre égyptien laissé par les sorcières chez la Chantefleurie en échange de sa fille ! Qu'en avez-vous fait ? J'espère bien que vous l'avez noyé aussi.

— Non pas, répondit Mahiette. Monsieur l'archevêque s'est intéressé à l'enfant d'égypte, l'a exorcisé, l'a béni, lui a ôté soigneusement le diable du corps, et l'a envoyé à Paris pour être exposé sur le lit de bois, à Notre-Dame, comme un enfant trouvé.

— Ces évêques ! dit Gervaise en grommelant,

parce qu'ils sont savants, ils ne font rien comme les autres. Je vous demande un peu, Oudarde, mettre le diable aux enfants trouvés ! car c'était bien sûr le diable que ce petit monstre. Eh bien, Mahiette, qu'est-ce qu'on en a fait à Paris ? Je compte bien que pas une personne charitable n'en a voulu.

— Je ne sais pas », répondit la rémoise.

Tout en parlant ainsi, les trois dignes bourgeoises étaient arrivées à la place de Grève. Dans leur préoccupation, elles avaient passé sans s'y arrêter devant le bréviaire public de la Tour-Roland, et se dirigeaient machinalement vers le pilori autour duquel la foule grossissait à chaque instant. Il est probable que le spectacle qui y attirait en ce moment tous les regards leur eût fait complètement oublier le Trou aux Rats et la station qu'elles s'étaient proposé d'y faire, si le gros Eustache de six ans que Mahiette traînait à sa main ne leur en eût rappelé brusquement l'objet :

« Mère, dit-il, comme si quelque instinct l'avertissait que le Trou aux Rats était derrière lui, à présent puis-je manger le gâteau ? »

Cette question, imprudente au moment où Eustache la fit, réveilla l'attention de Mahiette.

« À propos, s'écria-t-elle, nous oublions la recluse ! »

Les trois femmes revinrent sur leurs pas, et, arrivées près de la maison de la Tour-Roland, Oudarde dit aux deux autres :

« Il ne faut pas regarder toutes trois à la fois dans le trou, de peur d'effaroucher la sachette. Faites semblant, vous deux, de lire *dominus* dans le bréviaire, pendant que je mettrai le nez à la lucarne. La sachette me connaît un peu. Je vous avertirai quand vous pourrez venir. »

Elle alla seule à la lucarne. Au moment où sa vue y pénétra, une profonde pitié se peignit sur tous ses traits. Un moment après, elle mit un doigt sur ses lèvres et fit signe à Mahiette de venir voir.

C'était en effet un triste spectacle que celui qui s'offrait aux yeux des deux femmes, pendant qu'elles regardaient sans bouger ni souffler à la lucarne grillée du Trou aux Rats.

La cellule était étroite, plus large que profonde, voûtée en ogive. Sur la dalle nue qui en formait le sol, dans un angle, une femme était assise ou plutôt accroupie. Son menton était appuyé sur ses genoux, que ses deux bras croisés serraient fortement contre sa poitrine. Ainsi ramassée sur elle-même, vêtue d'un sac brun qui l'enveloppait tout entière à larges plis, ses longs cheveux gris rabattus par-devant tombant sur son visage le long de ses jambes jusqu'à ses pieds, elle ne présentait au premier aspect qu'une forme étrange. À peine distinguait-on un profil amaigri et sévère.

Par intervalles ses lèvres bleues s'entr'ouvraient à un souffle, et tremblaient.

Cependant de ses yeux mornes s'échappait un regard, un regard ineffable, qui semblait rattacher toutes les sombres pensées de cette âme en détresse à je ne sais quel objet mystérieux.

Cependant Mahiette considérait avec une anxiété toujours croissante cette tête hâve, flétrie, échevelée, et ses yeux se remplissaient de larmes. « Voilà qui serait bien singulier », murmurait-elle.

Elle passa sa tête à travers les barreaux du soupirail et parvint à faire arriver son regard jusque dans l'angle où le regard de la malheureuse était invariablement attaché.

Quand elle retira sa tête de la lucarne, son visage était inondé de larmes.

« Comment appelez-vous cette femme ? » demanda-t-elle à Oudarde.

Oudarde répondit :

« Nous la nommons sœur Gudule.

— Et moi, reprit Mahiette, je l'appelle Paquette la Chantefleurie. »

Alors, mettant un doigt sur sa bouche, elle fit signe à Oudarde stupéfaite de passer sa tête par la lucarne et de regarder.

Oudarde regarda, et vit, dans l'angle où l'œil de la recluse était fixé avec cette sombre extase, un petit soulier de satin rose, brodé de mille passequilles d'or et d'argent.

Gervaise regarda après Oudarde, et alors les trois femmes, considérant la malheureuse mère, se mirent à pleurer.

Ni leurs regards cependant, ni leurs larmes n'avaient distrait la recluse. Ses mains restaient jointes, ses lèvres muettes, ses yeux fixes, et, pour qui savait son histoire, ce petit soulier regardé ainsi fendait le cœur.

Eustache, qui jusqu'à ce moment avait été distrait par une petite voiture traînée par un gros chien, monta sur une borne, se dressa sur la pointe des pieds et appliqua son gros visage vermeil à l'ouverture en criant : « Mère, voyons donc que je voie ! »

À cette voix d'enfant, claire, fraîche, sonore, la recluse tressaillit. Elle tourna la tête avec le mouvement sec et brusque d'un ressort et fixa sur l'enfant des yeux étonnés, amers, désespérés. Ce regard ne fut qu'un éclair.

« Ô mon Dieu ! cria-t-elle tout à coup et il semblait que sa voix rauque déchirait sa poitrine en passant, au moins ne me montrez pas ceux des autres ! »

Tous ses membres tremblèrent, sa parole vibrait, ses yeux brillaient, elle s'était levée sur les genoux. Elle étendit tout à coup sa main blanche et maigre vers l'enfant qui la regardait avec un regard étonné : « Emportez cet enfant ! cria-t-elle. L'égyptienne va passer ! »

Alors elle tomba la face contre terre et son front frappa la dalle avec le bruit d'une pierre sur une pierre. Les trois femmes la crurent morte. Un moment après pourtant, elle remua, et elles la virent se traîner sur les genoux et sur les coudes jusqu'à l'angle où était le petit soulier. Alors elles n'osèrent regarder, elles ne la virent plus, mais elles entendirent mille baisers et mille soupirs mêlés à des cris déchirants.

Mahiette, suffoquée jusque-là à ne pouvoir parler, fit un effort.

« Attendez », dit-elle. Puis, se penchant vers la lucarne : « Paquette ! dit-elle, Paquette la Chantefleurie. »

La recluse tressaillit de tout son corps, se leva debout sur ses pieds nus et sauta à la lucarne avec des yeux flamboyants :

« Oh ! oh ! criait-elle avec un rire effrayant, c'est l'égyptienne qui m'appelle ! »

En ce moment, une scène qui se passait au pilori arrêta son œil hagard. Son front se plissa d'horreur, elle étendit hors de sa loge ses deux bras de squelette, et s'écria avec une voix qui ressemblait à un râle : « C'est donc encore toi, fille d'Égypte, c'est toi qui m'appelles, voleuse d'enfants ! Eh bien ! maudite sois-tu ! maudite ! maudite ! maudite ! »

4

Une larme
pour une goutte d'eau

Ces paroles étaient, pour ainsi dire, le point de jonction de deux scènes qui s'étaient jusque-là développées parallèlement dans le même moment, chacune sur son théâtre particulier, l'une, celle qu'on vient de lire, dans le Trou aux Rats, l'autre, qu'on va lire, sur l'échelle du pilori. La première n'avait eu pour témoins que les trois femmes avec lesquelles le lecteur vient de faire connaissance ; la seconde avait eu pour spectateurs tout le public que nous avons vu plus haut s'amasser sur la place de Grève, autour du pilori et du gibet.

Cette populace, disciplinée à l'attente des exécutions publiques, ne manifestait pas trop d'impatience. Elle se divertissait à regarder le pilori, espèce de monument fort simple composé d'un cube de maçonnerie de quelque dix pieds de haut, creux à l'intérieur. Un degré fort roide en pierre brute qu'on appelait par excellence *l'échelle* conduisait à la plate-forme supérieure, sur laquelle on apercevait une roue horizontale en bois de chêne plein. On liait le patient sur cette roue, à genoux et les bras derrière le dos. Une tige en charpente, que mettait en mouvement un cabestan caché dans l'intérieur du petit édifice, imprimait une rotation à la roue, toujours maintenue dans le plan horizontal, et présentait de cette façon la face du condamné successivement à tous les points de la place. C'est ce qu'on appelait *tourner* un criminel.

Le patient arriva enfin lié au cul d'une charrette, et quand il eut été hissé sur la plate-forme, quand on put le voir de tous les points de la place ficelé à cordes et à courroies sur la roue du pilori, une huée prodigieuse, mêlée de rires et d'acclamations, éclata dans la place. On avait reconnu Quasimodo.

C'était lui en effet. On le mit à genoux sur la planche circulaire, il s'y laissa mettre. On le dépouilla de chemise et de pourpoint jusqu'à la ceinture, il se laissa faire. On l'enchevêtra sous un nouveau système de courroies et d'ardillons, il se laissa boucler et ficeler. Seulement de temps à autre il soufflait bruyamment, comme un veau dont la tête pend et ballotte au rebord de la charrette du boucher.

« Le butor, dit Jehan Frollo à son ami Robin Poussepain (car les deux écoliers avaient suivi le patient comme de raison), il ne comprend pas plus qu'un hanneton enfermé dans une boîte ! »

Ce fut un fou rire dans la foule quand on vit à nu la bosse de Quasimodo, sa poitrine de chameau, ses épaules calleuses et velues. Pendant toute cette gaieté, un homme à la livrée de la ville, de courte taille et de robuste mine, monta sur la plate-forme et vint se placer près du patient. Son nom circula bien vite dans l'assistance. C'était maître Pierrat Torterue, tourmenteur-juré du Châtelet

Il commença par déposer sur un angle du pilori un sablier noir dont la capsule supérieure était pleine de sable rouge qu'elle laissait fuir dans le récipient inférieur, puis il ôta son surtout mi-parti, et l'on vit pendre à sa main droite un fouet mince et effilé de longues lanières blanches, luisantes, noueuses, tressées, armées d'ongles de métal. De la main gauche, il repliait négligemment sa chemise autour de son bras droit jusqu'à l'aisselle.

Cependant Jehan Frollo criait en élevant sa tête blonde et frisée au-dessus de la foule (il était monté pour cela sur les épaules de Robin Poussepain) : « Venez voir, messieurs, mesdames ! voici qu'on va flageller péremptoirement maître Quasimodo, le sonneur de mon frère monsieur l'archidiacre de Josas, une drôle d'architecture orientale, qui a le dos en dôme et les jambes en colonnes torses ! »

Et la foule de rire, surtout les enfants et les jeunes filles.

Enfin le tourmenteur frappa du pied. La roue se mit à tourner. Quasimodo chancela sous ses liens. La stupeur qui se peignit brusquement sur son visage difforme fit redoubler à l'entour les éclats de rire.

Tout à coup, au moment où la roue dans sa révolution présenta à maître Pierrat le dos monstrueux de Quasimodo, maître Pierrat leva le bras, les fines lanières sifflèrent aigrement dans l'air comme une poignée de couleuvres, et retombèrent avec furie sur les épaules du misérable.

Quasimodo sauta sur lui-même, comme réveillé en sursaut. Il commençait à comprendre. Il se tordit dans ses liens ; une violente contraction de surprise et de douleur décomposa les muscles de sa face ; mais il ne jeta pas un soupir. Il ferma son œil unique, laissa tomber sa tête sur sa poitrine et fit le mort.

Dès lors il ne bougea plus. Rien ne put lui arracher un mouvement. Ni son sang qui ne cessait de couler, ni les coups qui redoublaient de furie, ni la colère du tourmenteur qui s'excitait lui-même et s'enivrait de l'exécution, ni le bruit des horribles lanières plus acérées et plus sifflantes que des pattes de bigailles[1].

Enfin un huissier du Châtelet vêtu de noir, monté sur un cheval noir, en station à côté de l'échelle depuis le commencement de l'exécution, étendit sa baguette d'ébène vers le sablier. Le tourmenteur s'arrêta. La roue s'arrêta. L'œil de Quasimodo se rouvrit lentement.

La flagellation était finie. Deux valets du tourmenteur-juré lavèrent les épaules saignantes du patient, les frottèrent de je ne sais quel onguent qui ferma sur-le-champ toutes les plaies, et lui jetèrent sur le dos une sorte de pagne jaune taillé en chasuble. Cependant Pierrat Torterue faisait dégoutter sur le pavé les lanières rouges et gorgées de sang.

La joie avait été universelle de le voir paraître au

---

1. Moustiques.

pilori ; et la rude exécution qu'il venait de subir et la piteuse posture où elle l'avait laissé, loin d'attendrir la populace, avaient rendu sa haine plus méchante en l'armant d'une pointe de gaieté.

Mille injures pleuvaient, et les huées, et les imprécations, et les rires, et les pierres çà et là.

Il tint bon d'abord. Mais peu à peu cette patience, qui s'était roidie sous le fouet du tourmenteur, fléchit et lâcha pied à toutes ces piqûres d'insectes.

Il promena d'abord lentement un regard de menace sur la foule. Mais, garrotté comme il l'était, son regard fut impuissant à chasser ces mouches qui mordaient sa plaie. Alors il s'agita dans ses entraves, et ses soubresauts furieux firent crier sur ses ais la vieille roue du pilori. De tout cela, les dérisions et les huées s'accrurent.

Alors le misérable, ne pouvant briser son collier de bête fauve enchaînée, redevint tranquille. Mais la colère, la haine, le désespoir abaissaient lentement sur ce visage hideux un nuage de plus en plus sombre, de plus en plus chargé d'une électricité qui éclatait en mille éclairs dans l'œil du cyclope.

Cependant ce nuage s'éclaircit un moment, au passage d'une mule qui traversait la foule et qui portait un prêtre. Du plus loin qu'il aperçut cette mule et ce prêtre, le visage du pauvre patient s'adoucit. À la fureur qui le contractait succéda un sourire étrange, plein d'une douceur, d'une mansuétude, d'une tendresse ineffables. À mesure que le prêtre approchait, ce sourire devenait plus net, plus distinct, plus radieux. C'était comme la venue d'un sauveur que le malheureux saluait. Toutefois, au moment où la mule fut assez près du pilori pour que son cavalier pût reconnaître le patient, le prêtre baissa les yeux, rebroussa brusquement chemin, piqua des deux, comme s'il avait eu hâte de se débarrasser de réclamations humiliantes et fort peu de souci d'être salué et reconnu d'un pauvre diable en pareille posture.

Ce prêtre était l'archidiacre dom Claude Frollo.

Le nuage retomba plus sombre sur le front de Quasimodo. Le sourire s'y mêla encore quelque temps, mais amer, découragé, profondément triste.

Le temps s'écoulait. Il était là depuis une heure et demie au moins, déchiré, maltraité, moqué, sans relâche, et presque lapidé.

Tout à coup, il s'agita de nouveau dans ses chaînes avec un redoublement de désespoir dont trembla toute la charpente qui le portait, et, rompant le silence qu'il avait obstinément gardé jusqu'alors, il cria avec une voix rauque et furieuse qui ressemblait plutôt à un aboiement qu'à un cri humain et qui couvrit le bruit des huées : « À boire ! »

Cette exclamation de détresse, loin d'émouvoir les compassions, fut un surcroît d'amusement au bon populaire parisien qui entourait l'échelle. Pas une voix ne s'éleva autour du malheureux patient, si ce n'est pour lui faire raillerie de sa soif.

Au bout de quelques minutes, Quasimodo promena sur la foule un regard désespéré et répéta d'une voix plus déchirante encore : « À boire ! »

Et tous de rire.

« Bois ceci ! criait Robin Poussepain en lui jetant par la face une éponge traînée dans le ruisseau. Tiens, vilain sourd ! je suis ton débiteur. »

Une femme lui lançait une pierre à la tête : « Voilà qui t'apprendra à nous réveiller la nuit avec ton carillon de damné.

— À boire ! » répéta pour la troisième fois Quasimodo pantelant.

En ce moment, il vit s'écarter la populace. Une jeune fille bizarrement vêtue sortit de la foule. Elle était accompagnée d'une petite chèvre blanche à cornes dorées et portait un tambour de basque à la main.

L'œil de Quasimodo étincela. C'était la bohémienne qu'il avait essayé d'enlever la nuit précédente, algarade pour laquelle il sentait confusément qu'on le châtiait en cet instant même ; ce qui du reste n'était pas le moins du monde, puisqu'il n'était puni que du malheur d'être sourd et d'avoir été jugé par un sourd. Il ne douta pas qu'elle ne vînt se venger aussi et lui donner son coup comme tous les autres.

Il la vit en effet monter rapidement l'échelle. Elle s'approcha, sans dire une parole, du patient qui se tordait vainement pour lui échapper, et, détachant une gourde de sa ceinture, elle la porta doucement aux lèvres arides du misérable.

Alors, dans cet œil jusque-là si sec et si brûlé, on vit rouler une grosse larme qui tomba lentement le long de ce visage difforme et longtemps contracté par le désespoir. C'était la première peut-être que l'infortuné eût jamais versée.

Cependant il oubliait de boire. L'égyptienne fit sa petite moue avec impatience et appuya en souriant le goulot à la bouche dentue de Quasimodo.

Il but à longs traits. Sa soif était ardente.

Quand il eut fini, le misérable allongea ses lèvres noires, sans doute pour baiser la belle main qui venait de l'assister. Mais la jeune fille, qui n'était pas sans défiance peut-être et se souvenait de la violente tentative de la nuit, retira sa main avec le geste effrayé d'un enfant qui craint d'être mordu par une bête.

Alors le pauvre sourd fixa sur elle un regard plein de reproche et d'une tristesse inexprimable.

C'eût été partout un spectacle touchant que cette belle fille, fraîche, pure, charmante, et si faible en même temps, ainsi pieusement accourue au secours de tant de misère, de difformité et de méchanceté. Sur son pilori, ce spectacle était sublime.

Tout ce peuple lui-même en fut saisi et se mit à battre des mains en criant : « Noël ! Noël ! »

C'est dans ce moment que la recluse aperçut, de la lucarne de son trou, l'égyptienne sur le pilori et lui jeta son imprécation sinistre : « Maudite sois-tu, fille d'Égypte ! maudite ! maudite ! »

La Esmeralda pâlit, et descendit du pilori en chancelant. La voix de la recluse la poursuivit encore : « Descends ! descends ! larronnesse d'Égypte, tu y remonteras !

— La sachette est dans ses lubies », dit le peuple en murmurant et il n'en fut rien de plus. Car ces sortes de femmes étaient redoutées, ce qui les faisait sacrées. On ne s'attaquait pas volontiers alors à qui priait jour et nuit.

L'heure était venue de remmener Quasimodo. On le détacha et la foule se dispersa.

LIVRE CINQUIÈME

1

Du danger de confier
son secret à une chèvre

Plusieurs semaines s'étaient écoulées.

On était aux premiers jours de mars.

Sur le balcon de pierre pratiqué au-dessus du porche d'une riche maison gothique qui faisait l'angle de la place et de la rue du Parvis, quelques belles jeunes filles riaient et devisaient avec toute sorte de grâce et de folie. À la longueur du voile qui tombait, du sommet de leur coiffe pointue enroulée de perles jusqu'à leurs talons, à la finesse de la chemisette brodée qui couvrait leurs épaules, et surtout à la blancheur de leurs mains qui les attestait oisives et paresseuses, il était aisé de deviner de nobles et riches héritières. C'était en effet damoiselle Fleur-de-Lys de Gondelaurier et ses compagnes, Diane de Christeuil, Amelotte de Montmichel, Colombe de Gaillefontaine, et la petite de Champchevrier ; toutes filles de bonne maison réunies en ce moment chez la dame Aloïse de Gondelaurier, veuve d'un ancien maître des arbalétriers du roi, retirée avec sa fille unique, en sa maison de la place du Parvis Notre-Dame, à Paris.

Le balcon où étaient ces jeunes filles s'ouvrait sur une chambre richement tapissée d'un cuir de Flandre de couleur fauve imprimé à rinceaux d'or. Au fond, à côté d'une haute cheminée armoriée et blasonnée du haut en bas, était assise, dans un riche fauteuil de velours rouge, la dame de Gondelaurier, dont les cinquante-cinq ans n'étaient pas moins écrits sur son vêtement que sur son visage.

À côté d'elle se tenait debout un jeune homme d'assez fière mine, quoique un peu vaine et bravache, un de ces beaux garçons dont toutes les femmes tombent d'accord, bien que les hommes graves et physionomistes en haussent les épaules. Ce jeune cavalier portait le brillant habit de capitaine des archers de l'ordonnance du roi.

Les damoiselles étaient assises, partie dans la chambre, partie sur le balcon. Chacune d'elles tenait sur ses genoux un plan d'une grande tapisserie à l'aiguille, à laquelle elles travaillaient en commun.

Elles causaient entre elles avec cette voix chuchotante et ces demi-rires étouffés d'un conciliabule de jeunes filles au milieu desquelles il y a un jeune homme. Et tandis que c'était parmi les belles filles à qui attirerait son attention, il paraissait surtout occupé à fourbir avec son gant de peau de daim l'ardillon de son ceinturon.

De temps en temps, la vieille dame lui adressait la

parole tout bas. Aux sourires, aux petits signes d'intelligence de madame Aloïse, aux clins d'yeux qu'elle détachait vers sa fille Fleur-de-Lys, il était facile de voir qu'il s'agissait de quelque mariage prochain sans doute entre le jeune homme et Fleur-de-Lys. Et à la froideur embarrassée de l'officier, il était facile de voir que, de son côté du moins, il ne s'agissait plus d'amour.

« Mais parlez-lui donc, dit madame Aloïse en le poussant par l'épaule. Dites-lui donc quelque chose. Vous êtes devenu bien timide. »

Nous pouvons affirmer à nos lecteurs que la timidité n'était ni la vertu ni le défaut du capitaine. Il essaya pourtant de faire ce qu'on lui demandait.

« Belle cousine, dit-il en s'approchant de Fleur-de-Lys, quel est le sujet de cet ouvrage de tapisserie que vous façonnez ?

— Beau cousin, répondit Fleur-de-Lys avec un accent de dépit, je vous l'ai déjà dit trois fois. C'est la grotte de Neptunus[1]. »

Il était évident que Fleur-de-Lys voyait beaucoup plus clair que sa mère aux manières froides et distraites du capitaine. Il sentit la nécessité de faire quelque conversation.

« Et pour qui toute cette neptunerie ? demanda-t-il.

— Pour l'abbaye Saint-Antoine-des-Champs », dit Fleur-de-Lys sans lever les yeux.

Le capitaine prit un coin de la tapisserie.

---

1. Fils de Neptune, mi-homme mi-poisson, qui calmait les flots en soufflant dans un coquillage.

« C'est vraiment un charmant travail ! » s'écria-t-il.

En ce moment, Bérangère de Champchevrier, svelte petite fille de sept ans, qui regardait dans la place par les trèfles du balcon, s'écria : « Oh ! voyez, belle marraine Fleur-de-Lys, la jolie danseuse qui danse là sur le pavé et qui tambourine au milieu des bourgeois manants ! »

En effet, on entendait le frissonnement sonore d'un tambour de basque.

« Quelque égyptienne de Bohême, dit Fleur-de-Lys en se détournant nonchalamment vers la place.

— Voyons ! voyons ! » crièrent ses vives compagnes ; et elles coururent toutes au bord du balcon, tandis que Fleur-de-Lys, rêveuse de la froideur de son fiancé, les suivait lentement, et que celui-ci, soulagé par cet incident qui coupait court à une conversation embarrassée, s'en revenait au fond de l'appartement de l'air satisfait d'un soldat relevé de service.

Il se tenait depuis quelques moments, pensant ou ne pensant pas, appuyé en silence au chambranle sculpté de la cheminée, quand Fleur-de-Lys, se tournant soudain, lui adressa la parole. Après tout, la pauvre fille ne le boudait qu'à son cœur défendant.

« Beau cousin, ne nous avez-vous pas parlé d'une petite bohémienne que vous avez sauvée, il y a deux mois, en faisant le contre-guet la nuit, des mains d'une douzaine de voleurs ?

— Je crois que oui, belle cousine, dit le capitaine.

— Eh bien, reprit-elle, c'est peut-être cette bohémienne qui danse là dans le parvis. Venez voir si vous la reconnaissez, beau cousin Phœbus. »

Il perçait un secret désir de réconciliation dans

cette douce invitation qu'elle lui adressait de venir près d'elle, et dans ce soin de l'appeler par son nom. Le capitaine Phœbus de Châteaupers (car c'est lui que le lecteur a sous les yeux depuis le commencement de ce chapitre) s'approcha à pas lents du balcon. « Tenez, lui dit Fleur-de-Lys en posant tendrement sa main sur le bras de Phœbus, regardez cette petite qui danse là dans ce rond. Est-ce votre bohémienne ? »

Phœbus regarda et dit :

« Oui, je la reconnais à sa chèvre.

— Marraine, s'écria Bérangère dont les yeux sans cesse en mouvement s'étaient levés tout à coup vers le sommet des tours de Notre-Dame, qu'est-ce que c'est que cet homme noir qui est là-haut ? »

Toutes les jeunes filles levèrent les yeux. Un homme en effet était accoudé sur la balustrade culminante de la tour septentrionale, donnant sur la Grève. C'était un prêtre. On distinguait nettement son costume et son visage appuyé sur ses deux mains. Du reste, il ne bougeait non plus qu'une statue. Son œil fixe plongeait dans la place.

« C'est monsieur l'archidiacre de Josas, dit Fleur-de-Lys.

— Vous avez de bons yeux si vous le reconnaissez d'ici !

— Beau cousin Phœbus, dit tout à coup Fleur-de-Lys, puisque vous connaissez cette petite bohémienne, faites-lui donc signe de monter. Cela nous amusera.

— Oh oui ! s'écrièrent toutes les jeunes filles en battant des mains.

— Mais c'est une folie, répondit Phœbus. Elle m'a

sans doute oublié, et je ne sais seulement pas son nom. Cependant, puisque vous le souhaitez, mesdamoiselles, je vais essayer. » Et se penchant à la balustrade de balcon, il se mit à crier : « Petite ! »

La danseuse ne tambourinait pas en ce moment. Elle tourna la tête vers le point d'où lui venait cet appel, son regard brillant se fixa sur Phœoebus, et elle s'arrêta tout court.

« Petite ! » répéta le capitaine ; et il lui fit signe du doigt de venir. La jeune fille le regarda encore, puis elle rougit comme si une flamme lui était montée dans les joues, et, prenant son tambourin sous son bras, elle se dirigea, à travers les spectateurs ébahis, vers la porte de la maison où Phœbus l'appelait, à pas lents, chancelante, et avec le regard troublé d'un oiseau qui cède à la fascination d'un serpent.

Un moment après, la portière de tapisserie se souleva, et la bohémienne parut sur le seuil de la chambre, rouge, interdite, essoufflée, ses grands yeux baissés et n'osant faire un pas de plus.

Bérangère battit des mains.

Cependant la danseuse restait immobile sur le seuil de la porte. Son apparition avait produit sur ce groupe de jeunes filles un effet singulier. Il est certain qu'un vague et indistinct désir de plaire au bel officier les animait toutes à la fois. La bohémienne était d'une beauté si rare qu'au moment où elle parut à l'entrée de l'appartement il sembla qu'elle y répandait une sorte de lumière qui lui était propre. Dans cette chambre resserrée, sous ce sombre encadrement de tentures et de boiseries, elle était incomparablement plus belle et plus rayonnante que dans la place publique.

Les nobles damoiselles en furent malgré elles éblouies. Chacune se sentit en quelque sorte blessée dans sa beauté.

Aussi l'accueil fait à la bohémienne fut-il merveilleusement glacial. Elles la considérèrent du haut en bas, puis s'entre-regardèrent, et tout fut dit. Elles s'étaient comprises. Cependant la jeune fille attendait qu'on lui parlât, tellement émue qu'elle n'osait lever les paupières.

Le capitaine rompit le silence le premier.

« Belle enfant, dit Phœbus avec emphase en faisant de son côté quelques pas vers elle, je ne sais si j'ai le suprême bonheur d'être reconnu de vous... »

Elle l'interrompit en levant sur lui un sourire et un regard pleins d'une douceur infinie :

« Oh ! oui, dit-elle.

— Elle a bonne mémoire, observa Fleur-de-Lys.

— Or çà, reprit Phœbus, vous vous êtes bien prestement échappée l'autre soir. Est-ce que je vous fais peur ?

— Oh ! non », dit la bohémienne.

Il y avait, dans l'accent dont cet *oh ! non* fut prononcé à la suite de cet *oh ! oui*, quelque chose d'ineffable dont Fleur-de-Lys fut blessée.

« Vous m'avez laissé en votre lieu, ma belle, poursuivit le capitaine dont la langue se déliait en parlant à une fille des rues, un assez rechigné drôle, borgne et bossu, le sonneur de cloches de l'évêque, à ce que je crois.

— Je ne sais, répondit-elle.

— Conçoit-on l'insolence ! un sonneur de cloches enlever une fille, comme un vicomte ! Au demeurant, il l'a payé cher. Maître Pierrat Torterue est le plus rude palefrenier qui ait jamais étrillé un maraud, et je vous dirai, si cela peut vous être agréable, que le cuir de votre sonneur lui a galamment passé par les mains.

— Pauvre homme ! » dit la bohémienne chez qui ces paroles ravivaient le souvenir de la scène du pilori.

Le capitaine éclata de rire. « Corne-de-bœuf ! voilà de la pitié aussi bien placée qu'une plume au cul d'un porc ! Je veux être ventru comme un pape, si... »

Il s'arrêta tout court. « Pardon, mesdames ! je crois que j'allais lâcher quelque sottise.

— Il parle sa langue à cette créature ! » ajouta à demi-voix Fleur-de-Lys, dont le dépit croissait de moment en moment. Ce dépit ne diminua point quand elle vit le capitaine, enchanté de la bohémienne et surtout de lui-même, pirouetter sur le talon en répétant avec une grosse galanterie naïve et soldatesque : « Une belle fille, sur mon âme ! »

La vieille dame, qui observait cette scène, se sentait offensée et ne comprenait pas.

« Sainte Vierge ! cria-t-elle tout à coup, qu'ai-je donc là qui me remue dans les jambes ? Ahi ! la vilaine bête ! »

C'était la chèvre qui venait d'arriver à la recherche de sa maîtresse, et qui, en se précipitant vers elle, avait commencé par embarrasser ses cornes dans le monceau d'étoffe que les vêtements de la noble dame entassaient sur ses pieds quand elle était assise.

Ce fut une diversion. La bohémienne, sans dire une parole, la dégagea.

« Oh ! voilà la petite chevrette qui a des pattes d'or ! » s'écria Bérangère en sautant de joie.

144

En ce moment Fleur-de-Lys remarqua un sachet de cuir brodé suspendu au cou de la chèvre. « Qu'est-ce que cela ? » demanda-t-elle à l'égyptienne.

L'égyptienne leva ses grands yeux vers elle et lui répondit gravement : « C'est mon secret. »

« Je voudrais bien savoir ce que c'est que ton secret », pensa Fleur-de-Lys.

Cependant la bonne dame s'était levée avec humeur. « Or çà, la bohémienne, si toi ni ta chèvre n'avez rien à nous danser, que faites-vous céans ? »

La bohémienne, sans répondre, se dirigea lentement vers la porte. Mais plus elle en approchait, plus son pas se ralentissait. Un invincible aimant semblait la retenir. Tout à coup elle tourna ses yeux humides de larmes sur Phœbus et s'arrêta.

« Vrai Dieu ! s'écria le capitaine, on ne s'en va pas ainsi. Revenez, et dansez-nous quelque chose. À propos, belle d'amour, comment vous appelez-vous ?

— La Esmeralda », fit la danseuse sans le quitter du regard.

À ce nom étrange, un fou rire éclata parmi les jeunes filles.

« Ma chère, s'écria solennellement dame Aloïse, vos parents ne vous ont pas pêché ce nom-là dans le bénitier du baptême. »

Cependant, depuis quelques minutes, sans qu'on fît attention à elle, Bérangère avait attiré la chèvre dans un coin de la chambre avec un massepain. En un instant, elles avaient été toutes deux bonnes amies. La curieuse enfant avait détaché le sachet suspendu au cou de la chèvre, l'avait ouvert et avait vidé sur la natte ce qu'il contenait. C'était un alphabet dont chaque lettre était inscrite séparément sur une petite tablette de buis. À peine ces joujoux furent-ils étalés sur la natte que l'enfant vit avec surprise la chèvre tirer certaines lettres avec sa patte d'or et les disposer, en les poussant doucement, dans un ordre particulier. Au bout d'un instant, cela fit un mot que la chèvre semblait exercée à écrire, tant elle hésita peu à le former, et Bérangère s'écria tout à coup en joignant les mains avec admiration :

« Marraine Fleur-de-Lys, voyez donc ce que la chèvre vient de faire ! »

Fleur-de-Lys accourut et tressaillit. Les lettres disposées sur le plancher formaient ce mot :

PHŒBUS

« C'est la chèvre qui a écrit cela ? demanda-t-elle d'une voix altérée.

— Oui, marraine », répondit Bérangère.

Il était impossible d'en douter ; l'enfant ne savait pas écrire.

« Voilà le secret ! » pensa Fleur-de-Lys.

Cependant, au cri de l'enfant, tout le monde était accouru, et la mère, et les jeunes filles, et la bohémienne, et l'officier.

La bohémienne vit la sottise que venait de faire la chèvre. Elle devint rouge, puis pâle, et se mit à trembler comme une coupable devant le capitaine, qui la regardait avec un sourire de satisfaction et d'étonnement.

« *Phœbus !* chuchotaient les jeunes filles, stupéfaites, c'est le nom du capitaine !

— Vous avez une merveilleuse mémoire ! » dit Fleur-de-Lys à la bohémienne pétrifiée. Puis, éclatant en sanglots : « Oh ! balbutia-t-elle douloureusement en se cachant le visage de ses deux belles mains, c'est une magicienne ! » Et elle entendait une voix plus amère encore lui dire au fond du cœur : « C'est une rivale ! »

Elle tomba évanouie.

« Ma fille ! ma fille ! cria la mère, effrayée. Va-t'en, bohémienne de l'enfer ! »

La Esmeralda ramassa en un clin d'œil les malencontreuses lettres, fit signe à Djali et sortit par une porte, tandis qu'on emportait Fleur-de-Lys par l'autre.

Le capitaine Phœbus, resté seul, hésita un moment entre les deux portes ; puis il suivit la bohémienne.

2

Qu'un prêtre et un philosophe
sont deux

Le prêtre que les jeunes filles avaient remarqué au haut de la tour septentrionale penché sur la place et si attentif à la danse de la bohémienne, c'était en effet l'archidiacre Claude Frollo.

Tous les jours, une heure avant le coucher du soleil, l'archidiacre montait l'escalier de la tour et s'enfermait dans cette cellule, où il passait quelquefois des nuits entières. Ce jour-là, au moment où, parvenu devant la porte basse du réduit, il mettait dans la serrure la petite clef compliquée qu'il portait toujours sur lui dans l'escarcelle pendue à son côté, un bruit de tambourin et de castagnettes était arrivé à son oreille. Ce bruit venait de la place du Parvis. Claude Frollo avait repris précipitamment la clef, et un instant après il était sur le sommet de la tour, dans l'attitude sombre et recueillie où les damoiselles l'avaient aperçu.

Tout Paris était à ses pieds, mais, dans toute cette ville, l'archidiacre ne regardait qu'un coin du pavé : la place du Parvis ; dans toute cette foule, qu'une figure : la bohémienne.

Il eût été difficile de dire de quelle nature était ce regard, et d'où venait la flamme qui en jaillissait. C'était un regard fixe, et pourtant plein de trouble et de tumulte.

La bohémienne dansait.

La foule fourmillait autour d'elle ; de temps en temps, un homme accoutré d'une casaque jaune et rouge faisait faire le cercle, puis revenait s'asseoir sur une chaise à quelques pas de la danseuse et prenait la tête de la chèvre sur ses genoux. Cet homme semblait être le compagnon de la bohémienne.

Du moment où l'archidiacre eut aperçu cet inconnu, son attention sembla se partager entre la danseuse et lui, et son visage devint de plus en plus sombre. Tout à coup il se redressa, et un tremblement parcourut tout son corps : « Qu'est-ce que c'est que cet homme ? dit-il entre ses dents. Je l'avais toujours vue seule ! »

Alors il se replongea sous la voûte tortueuse de l'escalier en spirale, et redescendit. En passant devant la porte de la sonnerie qui était entrouverte, il vit une chose qui le frappa, il vit Quasimodo qui, penché à une ouverture de ces auvents d'ardoises qui ressemblent à d'énormes jalousies, regardait aussi, lui, dans la place. Il était en proie à une contemplation si profonde qu'il ne prit pas garde au passage de son père adoptif. Son œil sauvage avait une expression singulière. C'était un regard charmé et doux. « Voilà qui est étrange ! murmura Claude. Est-ce que c'est l'égyptienne qu'il regarde ainsi ? » Il continua de descendre. Au bout de quelques minutes, l'archidiacre sortit dans la place par la porte qui est au bas de la tour.

« Qu'est donc devenue la bohémienne ? dit-il en se mêlant au groupe de spectateurs que le tambourin avait amassés.

— Je ne sais, répondit un de ses voisins, elle vient de disparaître. Je crois qu'elle est allée faire quelque fandangue[1] dans la maison en face, où ils l'ont appelée. »

À la place de l'égyptienne, l'archidiacre ne vit plus que l'homme rouge et jaune,

« Notre-Dame ! s'écria l'archidiacre, que fait là maître Pierre Gringoire ? »

La voix sévère de l'archidiacre frappa le pauvre diable.

Claude Frollo lui fit signe de le suivre.

« Maître Pierre, d'où vient que vous êtes maintenant en compagnie de cette danseuse d'Égypte ?

— Ma foi ! dit Gringoire, c'est qu'elle est ma femme et que je suis son mari. »

Gringoire se hâta de lui conter le plus succinctement possible tout ce que le lecteur sait déjà, son aventure de la Cour des Miracles et son mariage au pot cassé. « C'est un déboire, dit-il en terminant, mais

---

1. Ou fandango, danse andalouse avec des castagnettes.

cela tient à ce que j'ai eu le malheur d'épouser une vierge.

— Que voulez-vous dire ? demanda l'archidiacre.

— C'est assez difficile à expliquer, répondit le poète. C'est une superstition. Ma femme est, à ce que m'a dit un vieux peigre[1] qu'on appelle chez nous le duc d'Égypte, un enfant trouvé, ou perdu, ce qui est la même chose. Elle porte au cou une amulette qui, assure-t-on, lui fera un jour rencontrer ses parents, mais qui perdrait sa vertu si la jeune fille perdait la sienne. Il suit de là que nous demeurons tous deux très vertueux.

— Donc, reprit Claude, dont le front s'éclaircissait de plus en plus, vous croyez, maître Pierre, que cette créature n'a été approchée d'aucun homme ?

— Que voulez-vous, dom Claude, qu'un homme fasse à une superstition ? Elle a cela dans la tête. Elle a pour se protéger trois choses : le duc d'Égypte, qui l'a prise sous sa sauvegarde, toute sa tribu qui la tient en vénération singulière, comme une Notre-Dame ; et un certain poignard mignon que la luronne porte toujours sur elle. »

L'archidiacre serra Gringoire de questions.

La Esmeralda était, au jugement de Gringoire, une créature inoffensive et charmante. Du reste, le peuple des quartiers qu'elle fréquentait l'aimait pour sa gaieté, pour sa gentillesse, pour ses vives allures, pour ses danses et pour ses chansons. Dans toute la ville, elle ne se croyait haïe que de deux personnes, dont

---

1. Voleur.

elle parlait souvent avec effroi : la sachette de la Tour-Roland, une vilaine recluse qui avait on ne sait quelle rancune aux égyptiennes, et qui maudissait la pauvre danseuse chaque fois qu'elle passait devant sa lucarne ; et un prêtre qui ne la rencontrait jamais sans lui jeter des regards et des paroles qui lui faisaient peur. Cette dernière circonstance troubla fort l'archidiacre, sans que Gringoire fît grande attention à ce trouble. Au demeurant, la petite danseuse ne craignait rien ; elle ne disait pas la bonne aventure, ce qui la mettait à l'abri de ces procès de magie si fréquemment intentés aux bohémiennes. Et puis, Gringoire lui tenait lieu de frère, sinon de mari. En son âme et conscience, le philosophe n'était pas très sûr d'être éperdument amoureux de la bohémienne. Il aimait presque autant la chèvre. C'était une charmante bête, dont les sorcelleries étaient de bien innocentes malices. Gringoire les expliqua à l'archidiacre que ces détails paraissaient vivement intéresser. Il suffisait, dans la plupart des cas, de présenter le tambourin à la chèvre de telle ou telle façon pour obtenir d'elle la momerie qu'on souhaitait. Elle avait été dressée à cela par la bohémienne, qui avait à ces finesses un talent si rare qu'il lui avait suffi de deux mois pour enseigner à la chèvre à écrire avec des lettres mobiles le mot *Phœbus*.

« Êtes-vous sûr, reprit Claude avec son regard pénétrant, que ce n'est qu'un mot et que ce n'est pas un nom ?

— Nom de qui ? dit le poète.

— Que sais-je ? dit le prêtre.

— Voilà ce que j'imagine, messire. Ces bohèmes adorent le soleil. De là Phœbus.

— Écoutez, maître Pierre Gringoire. Vous n'êtes pas encore damné, que je sache. Je m'intéresse à vous et vous veux du bien. Or le moindre contact avec cette égyptienne du démon vous fera vassal de Satanas. Vous savez que c'est toujours le corps qui perd l'âme. Malheur à vous si vous approchez cette femme ! Voilà tout.

— J'ai essayé une fois, dit Gringoire en se grattant l'oreille. C'était le premier jour ; mais je me suis piqué.

— Vous avez eu cette effronterie, maître Pierre ? »

Et le front du prêtre se rembrunit.

« Une autre fois, continua le poëte en souriant, j'ai regardé avant de me coucher par le trou de la serrure, et j'ai bien vu la plus délicieuse dame en chemise qui ait jamais fait crier la sangle d'un lit sous son pied nu.

— Va-t'en au diable ! » cria le prêtre avec un regard terrible ; et, poussant par les épaules Gringoire, il s'enfonça à grands pas sous les plus sombres arcades de la cathédrale.

3

Les cloches

Depuis la matinée du pilori, les voisins de Notre-Dame avaient cru remarquer que l'ardeur carillonneuse de Quasimodo s'était fort refroidie.

Il arriva que, dans cette gracieuse année 1482, l'Annonciation tomba un mardi 25 mars. Ce jour-là, l'air était si pur et si léger que Quasimodo se sentit revenir quelque amour de ses cloches. Il monta donc dans la tour septentrionale, tandis qu'en bas le bedeau ouvrait toutes larges les portes de l'église.

Parvenu dans la haute cage de la sonnerie, Quasimodo considéra quelque temps avec un triste hochement de tête les six campaniles, comme s'il gémissait de quelque chose d'étranger qui s'était interposé dans son cœur entre elles et lui. Mais quand il les eut mises en branle, quand il sentit cette grappe de cloches remuer sous sa main, quand il vit, car il ne l'entendait pas, l'octave palpitante monter et descendre sur cette échelle sonore comme un oiseau qui saute de branche en branche, alors il redevint heureux, il oublia tout, et son cœur qui se dilatait fit épanouir son visage.

Il allait et venait, il frappait des mains, il courait d'une corde à l'autre, il animait les six chanteurs de la voix et du geste, comme un chef d'orchestre qui éperonne des virtuoses intelligents.

Tout à coup, en laissant tomber son regard entre les larges écailles ardoisées qui recouvrent à une certaine hauteur le mur à pic du clocher, il vit dans la place une jeune fille bizarrement accoutrée, qui s'arrêtait, qui développait à terre un tapis où une petite chèvre venait de se poser, et un groupe de spectateurs qui s'arrondissait à l'entour. Cette vue changea subitement le cours de ses idées. Il s'arrêta, tourna le dos au carillon et s'accroupit derrière l'auvent d'ardoise, en fixant sur la danseuse ce regard rêveur, tendre et doux, qui avait déjà une fois étonné l'archidiacre. Cependant les cloches oubliées s'éteignirent brusquement toutes à la fois, au grand désappointement des amateurs de sonnerie.

4

’ANÁΓKH

Il advint que, par une belle matinée de ce même mois de mars, notre jeune ami l'écolier Jehan Frollo s'aperçut en s'habillant que ses grègues[1], qui contenaient sa bourse, ne rendaient aucun son métallique. « Pauvre bourse ! dit-il en la tirant de son gousset, quoi ! pas le moindre petit parisis ! »

Il s'habilla tristement. Une pensée lui était venue tout en ficelant ses bottines, mais il la repoussa d'abord ; cependant elle revint, et il mit son gilet à l'envers, signe évident d'un violent combat intérieur. Enfin, il jeta rudement son bonnet à terre et s'écria : « Tant pis ! il en sera ce qu'il pourra. Je vais aller chez mon frère. J'attraperai un sermon, mais j'attraperai un écu. »

_____
1. Hauts-de-chausses.

Alors il endossa précipitamment sa casaque à mahoîtres[1] fourrées, ramassa son bonnet et sortit en désespéré.

Le Petit-Pont traversé, la rue Neuve-Sainte-Geneviève enjambée, Jehan se trouva devant Notre-Dame.

Il arrêta un bedeau qui sortait du cloître. « Où est monsieur l'archidiacre de Josas ?

— Je crois qu'il est dans sa cachette de la tour, dit le bedeau, et je ne vous conseille pas de l'y déranger. »

Jehan frappa dans ses mains.

« Bédiable ! voilà une magnifique occasion de voir la fameuse logette aux sorcelleries ! »

Déterminé par cette réflexion, il s'enfonça résolument sous la petite porte noire et se mit à monter la vis de Saint-Gilles qui mène aux étages supérieurs de la tour.

Parvenu sur la galerie des colonnettes, il souffla un moment puis il reprit son ascension. Quelques moments après avoir dépassé la cage des cloches, il rencontra un petit palier pratiqué dans un renfoncement latéral et sous la voûte une basse porte ogive dont une meurtrière, percée en face dans la paroi circulaire de l'escalier, lui permit d'observer l'énorme serrure et la puissante armature de fer.

« Ouf ! dit l'écolier ; c'est sans doute ici. »

La clef était dans la serrure. La porte était tout contre. Il la poussa mollement et passa sa tête par l'entre-ouverture.

C'était un réduit sombre et à peine éclairé. Il y avait

---

1. De drap d'or à dessins rouges et noirs.

un grand fauteuil et une grande table, des compas, des alambics, des squelettes d'animaux pendus au plafond, une sphère roulant sur le pavé, des hippocéphales pêle-mêle avec des bocaux où tremblaient des feuilles d'or, des têtes de mort posées sur des vélins bigarrés de figures et de caractères, de gros manuscrits empilés tout ouverts, enfin, toutes les ordures de la science, et partout, sur ce fouillis, de la poussière et des toiles d'araignée.

Pourtant la cellule n'était point déserte. Un homme était assis dans le fauteuil et courbé sur la table.

Jehan reconnut son frère. Penché sur un vaste manuscrit orné de peintures bizarres, il paraissait tourmenté par une idée qui venait sans cesse se mêler à ses méditations. C'est du moins ce que Jehan jugea en l'entendant s'écrier :

« Damnation ! toujours cette pensée ! »

Et il ferma le livre avec violence.

Il passa la main sur son front, comme pour chasser l'idée qui l'obsédait. Puis il prit sur la table un clou et un petit marteau dont le manche était curieusement peint de lettres cabalistiques.

« Voyons, essayons. Si je réussis, je verrai l'étincelle bleue jaillir de la tête du clou. Que ce clou ouvre la tombe à quiconque porte le nom de Phœbus !... Malédiction ! toujours, encore éternellement la même idée ! »

Et il jeta le marteau avec colère. Puis il s'affaissa tellement sur le fauteuil et sur la table que Jehan le perdit de vue derrière l'énorme dossier. Pendant quelques minutes, il ne vit plus que son poing convulsif crispé sur un livre. Tout à coup dom Claude se leva, prit un compas et grava en silence sur la muraille en lettres capitales ce mot grec :

ʾΑΝΑΓΚΗ.

« Mon frère est fou, dit Jehan en lui-même ; il eût été bien plus simple d'écrire *Fatum*. Tout le monde n'est pas obligé de savoir le grec. »

L'archidiacre vint se rasseoir dans son fauteuil et posa sa tête sur ses deux mains, comme fait un malade dont le front est lourd et brûlant.

L'écolier observait son frère avec surprise. L'enveloppe austère et glaciale de Claude Frollo avait toujours trompé Jehan. Le joyeux écolier comprit qu'il avait vu ce qu'il n'aurait pas dû voir, qu'il venait de surprendre l'âme de son frère aîné dans une de ses plus secrètes attitudes, et qu'il ne fallait pas que Claude s'en aperçût. Voyant que l'archidiacre était retombé dans son immobilité première, il retira sa tête doucement et fit quelque bruit de pas derrière la porte, comme quelqu'un qui arrive et qui avertit de son arrivée.

« Entrez ! cria l'archidiacre de l'intérieur de la cellule, je vous attendais. J'ai laissé exprès la clef à la porte. Entrez, maître Jacques. »

L'écolier entra hardiment. L'archidiacre, qu'une pareille visite gênait fort en pareil lieu, tressaillit sur son fauteuil. « Quoi ! c'est vous, Jehan ? »

Le visage de dom Claude avait repris son expression sévère.

« Que venez-vous faire ici ?

— Mon frère, répondit l'écolier en s'efforçant d'atteindre à une mine décente, piteuse et modeste, et en tournant son bicoquet dans ses mains avec un air d'innocence, je venais vous demander un peu de morale dont j'ai grand besoin. » Jehan n'osa ajouter tout haut : « Et un peu d'argent dont j'ai plus grand besoin encore. »

Dom Claude fit décrire un quart de cercle à son fauteuil et regarda Jehan fixement. « Je suis bien aise de vous voir. Jehan, on m'apporte tous les jours des doléances de vous. Qu'est-ce que ce Mahiet Fargel, dont vous avez déchiré la robe ? *Tunicam dechirave-runt*[1], dit la plainte.

— Ah ! bah ! une mauvaise cappette de Montaigu ! voilà-t-il pas !

— La plainte dit *tunicam* et non *cappettam*. Savez-vous le latin ? »

Jehan ne répondit pas.

« Oui ! poursuivit le prêtre en secouant la tête, voilà où en sont les études et les lettres maintenant. La langue latine est à peine entendue, la syriaque inconnue, la grecque tellement odieuse que ce n'est pas ignorance aux plus savants de sauter un mot grec sans le lire, et qu'on dit : *Græcum est, non legitur*[2]. »

L'écolier releva résolument les yeux. « Monsieur mon frère, vous plaît-il que je vous explique en bon parler français ce mot grec qui est écrit là sur le mur ?

— Quel mot ?

— Ἀνάγκη. »

Une légère rougeur vint s'épanouir sur les jaunes pommettes de l'archidiacre.

---

1. « Ils ont déchiré la tunique » (en latin).
2. « C'est du grec, ça ne se lit pas » (en latin).

« Eh bien, Jehan, balbutia le frère aîné avec effort, qu'est-ce que ce mot veut dire ?

— FATALITÉ. »

Dom Claude redevint pâle et demeura silencieux.

Le petit Jehan jugea le moment favorable pour hasarder sa requête. Il prit donc une voix extrêmement douce et commença :

« Mon bon frère, j'ai besoin d'argent. »

À cette déclaration effrontée, la physionomie de l'archidiacre prit tout à fait l'expression pédagogique et paternelle.

« Et qu'en voulez-vous faire ? »

Cette question fit briller une lueur d'espoir aux yeux de Jehan.

« Tenez, cher frère Claude, je ne m'adresserais pas à vous en mauvaise intention. Il ne s'agit pas de faire le beau dans les tavernes avec vos unzains et de me promener dans les rues de Paris en caparaçon de brocart d'or. Non, mon frère, c'est pour une bonne œuvre.

— Quelle bonne œuvre ? demanda Claude un peu surpris.

— Il y a deux de mes amis qui voudraient acheter une layette à l'enfant d'une pauvre veuve haudriette. C'est une charité. Cela coûtera trois florins, et je voudrais mettre le mien.

— Comment s'appellent vos deux amis ?

— Pierre l'Assommeur et Baptiste Croque-Oison.

— Hum ! dit l'archidiacre, voilà des noms qui vont à une bonne œuvre comme une bombarde sur un maître-autel. »

Il est certain que Jehan avait très mal choisi ses deux noms d'amis. Il le sentit trop tard.

L'écolier tenta encore un effort.

« Frère Claude, donnez-moi au moins un petit parisis pour manger.

— Où en êtes-vous des décrétales de Gratien[1] ? demanda dom Claude.

— J'ai perdu mes cahiers.

— Jeune homme, reprit l'archidiacre, il y avait à la dernière entrée du roi un gentilhomme appelé Philippe de Comines, qui portait brodée sur la houssure de son cheval sa devise, que je vous conseille de méditer : *Qui non laborat non manducet*[2]. »

L'écolier resta un moment silencieux, le doigt à l'oreille, l'œil fixé à terre, et la mine fâchée. Tout à coup il se retourna vers Claude avec la vive prestesse d'un hoche-queue[3].

« Ainsi, bon frère, vous me refusez un sou parisis pour acheter une croûte chez un talmellier[4] ?

— *Qui non laborat...* »

Jehan ne le laissa pas achever.

« Eh bien, cria-t-il, au diable ! Vive la joie ! Je m'entavernerai, je me battrai, je casserai les pots et j'irai voir les filles ! »

---

1. Moine italien du XIIe siècle connu pour la première compilation raisonnée de droit canon droit de l'Église.
2. « Que celui qui ne travaille pas ne mange pas » (en latin) ; devise inspirée de saint Paul.
3. Petit oiseau bergeronnette.
4. Vendeur de talmouse, ancienne pâtisserie au fromage.

Et sur ce, il jeta son bonnet au mur et fit claquer ses doigts comme des castagnettes.

En ce moment le bruit d'un pas se fit entendre dans l'escalier.

« Silence ! dit l'archidiacre en mettant un doigt sur sa bouche, voici maître Jacques. Écoutez, Jehan, ajouta-t-il à voix basse, gardez-vous de parler jamais de ce que vous aurez vu et entendu ici. Cachez-vous vite sous ce fourneau, et ne soufflez pas. »

L'écolier se blottit sous le fourneau. Là, il lui vint une idée féconde.

« À propos, frère Claude, un florin pour que je ne souffle pas.

— Silence ! je vous le promets.

— Il faut me le donner.

— Prends donc ! » dit l'archidiacre en lui jetant avec colère son escarcelle.

Jehan se renfonça sous le fourneau et la porte s'ouvrit.

5

Les deux hommes
vêtus de noir

Le personnage qui entra avait une robe noire et la mine sombre. Ce qui frappa au premier coup d'œil notre ami Jehan (qui, comme on s'en doute bien, s'était arrangé dans son coin de manière à pouvoir tout voir et tout entendre selon son bon plaisir), c'était la parfaite tristesse du vêtement et du visage de ce nouveau venu. Il y avait pourtant quelque douceur répandue sur cette figure, mais une douceur de chat ou de juge, une douceur doucereuse. Il était fort gris, ridé, touchait aux soixante ans, clignait des yeux, avait le sourcil blanc, la lèvre pendante et de grosses mains. Quand Jehan vit que ce n'était que cela, c'est-à-dire sans doute un médecin ou un magistrat, et que cet homme avait le nez très loin de la bouche, signe de bêtise, il se rencogna dans son trou, désespéré d'avoir à passer un temps indéfini en si gênante posture et en si mauvaise compagnie.

L'archidiacre cependant ne s'était pas même levé pour ce personnage. Il lui avait fait signe de s'asseoir sur un escabeau voisin de la porte, et il lui avait dit avec quelque protection : « Bonjour, maître Jacques.

— Salut, maître ! avait répondu l'homme noir.

— Eh bien, reprit l'archidiacre après un silence que maître Jacques se garda bien de troubler, réussissez-vous ?

— Hélas ! mon maître, dit l'autre avec un sourire triste, je souffle toujours. De la cendre tant que j'en veux. Mais pas une étincelle d'or. »

Dom Claude fit un geste d'impatience. « Je ne vous parle pas de cela, maître Jacques Charmolue, mais du procès de votre magicien. N'est-ce pas Marc Cenaine que vous le nommez, le sommelier de la Cour des comptes ? Avoue-t-il sa magie ? La question vous a-t-elle réussi ?

— Hélas ! non, répondit maître Jacques, toujours avec son sourire triste. Nous n'avons pas cette consolation. Cet homme est un caillou. Nous le ferons bouillir au Marché aux Pourceaux, avant qu'il ait rien dit. Cependant nous n'épargnons rien pour arriver à la vérité. Il est déjà tout disloqué.

— Vous n'avez rien trouvé de nouveau dans sa maison ?

— Si fait, dit maître Jacques en fouillant dans son escarcelle, ce parchemin. Il y a des mots dessus que nous ne comprenons pas. »

En parlant ainsi, maître Jacques déroulait un parchemin. « Donnez », dit l'archidiacre. Et, jetant les yeux sur cette pancarte : « Pure magie, maître Jacques ! s'écria-t-il. *Hax, pax, max*[1] *!* ceci est de la médecine. Une formule contre la morsure des chiens enragés. Maître Jacques ! vous êtes procureur du roi en cour d'église, ce parchemin est abominable.

— Nous remettrons l'homme à la question. Voici encore, ajouta maître Jacques en fouillant de nouveau dans sa sacoche, ce que nous avons trouvé chez Marc Cenaine.

— Ah ! dit l'archidiacre, un creuset d'alchimie.

— Je vous avouerai, reprit maître Jacques avec un soutire timide et gauche, que je l'ai essayé sur le fourneau, mais je n'ai pas mieux réussi qu'avec le mien. »

L'archidiacre se mit à examiner le vase. « Qu'a-t-il gravé sur son creuset ? *Och ! och !* le mot qui chasse les puces ! Ce Marc Cenaine est ignorant ! Je le crois bien, que vous ne ferez pas d'or avec ceci ! c'est bon à mettre dans votre alcôve l'été, et voilà tout !

— Puisque nous en sommes aux erreurs, dit le procureur du roi, je viens d'étudier le portail d'en bas avant de monter ; votre révérence est-elle bien sûre que l'ouverture de l'ouvrage de physique y est figurée du côté de l'Hôtel-Dieu, et que, dans les sept figures nues qui sont aux pieds de Notre-Dame, celle qui a des ailes aux talons est Mercurius ?

— Oui, répondit le prêtre. Au reste, nous allons descendre, et je vous expliquerai cela sur le texte.

— Merci, mon maître, dit Charmolue en s'incli-

---

1. Paroles magiques (en latin).

nant jusqu'à terre. À propos, j'oubliais ! quand vous plaît-il que je fasse appréhender la petite magicienne ?

— Quelle magicienne ?

— Cette bohémienne que vous savez bien, qui vient tous les jours baller sur le parvis malgré la défense de l'official ! Elle a une chèvre possédée qui a des cornes du diable, qui lit, qui écrit, qui sait la mathématique. Le procès est tout prêt. Il sera bientôt fait, allez ! Une jolie créature, sur mon âme, que cette danseuse ! »

L'archidiacre était excessivement pâle.

« Je vous dirai cela », balbutia-t-il d'une voix à peine articulée. Puis il reprit avec effort : « Occupez-vous de Marc Cenaine.

— Soyez tranquille, dit en souriant Charmolue. Je vais le faire reboucler sur le lit de cuir en rentrant. Mais c'est un diable d'homme. Il fatigue Pierrat Torterue lui-même, qui a les mains plus grosses que moi. La question au treuil ! c'est ce que nous avons de mieux. Il y passera... Quant à la petite, Smeralda comme ils l'appellent, – j'attendrai vos ordres. »

En ce moment, un bruit de mâchoire et de mastication qui partait de dessous le fourneau vint frapper l'oreille de Charmolue.

« Qu'est cela ? » demanda-t-il.

C'était l'écolier qui, fort gêné et fort ennuyé dans sa cachette, était parvenu à y découvrir une vieille croûte et un triangle de fromage moisi et s'était mis à manger le tout sans façon, en guise de consolation et de déjeuner. Comme il avait grand'faim, il faisait grand bruit, et il accentuait fortement chaque bouchée, ce qui avait donné l'éveil et l'alarme au procureur.

« C'est un mien chat, dit vivement l'archidiacre, qui se régale là-dessous de quelque souris. »

Cette explication satisfit Charmolue.

Cependant dom Claude, qui craignait quelque nouvelle algarade de Jehan, rappela à son digne disciple qu'ils avaient quelques figures du portail à étudier ensemble, et tous deux sortirent de la cellule, au grand *ouf !* de l'écolier, qui commençait à craindre sérieusement que son genou ne prît l'empreinte de son menton.

6

Effet que peuvent produire
sept jurons en plein air

« *Te Deum laudamus*[1] ! s'écria maître Jehan en sortant de son trou, voilà les deux chats-huants partis. Och ! och ! Dax ! pax ! max ! les puces ! les chiens enragés ! le diable ! j'en ai assez de leur conversation ! la tête me bourdonne comme un clocher. Du fromage moisi par-dessus le marché ! Sus ! descendons, prenons l'escarcelle du grand frère, et convertissons toutes ces monnaies en bouteilles ! »

Il jeta un coup d'œil de tendresse et d'admiration dans l'intérieur de la précieuse escarcelle, rajusta sa toilette, frotta ses bottines, et descendit l'escalier circulaire en sautillant comme un oiseau.

Au milieu des ténèbres de la vis il coudoya quelque

---

1. « Ô Dieu, nous te louons » (en latin).

chose qui se rangea en grognant. Il présuma que c'était Quasimodo, et cela lui parut si drôle qu'il descendit le reste de l'escalier en se tenant les côtes de rire. En débouchant sur la place, il riait encore.

Il fit quelques pas et aperçut les deux chats-huants, c'est-à-dire dom Claude et maître Jacques Charmolue, en contemplation devant une sculpture du portail.

En ce moment, il entendit une voix forte et sonore articuler derrière lui une série formidable de jurons.

« Sang-Dieu ! ventre-Dieu ! bédieu ! corps de Dieu ! nombril de Belzébuth ! nom d'un pape ! corne et tonnerre !

— Sur mon âme, s'écria Jehan, ce ne peut être que mon ami le capitaine Phœbus ! »

Ce nom de Phœbus arriva aux oreilles de l'archidiacre au moment où il expliquait au procureur du roi le dragon qui cache sa queue dans un bain d'où sort de la fumée et une tête de roi. Dom Claude tressaillit, s'interrompit, à la grande stupeur de Charmolue, se retourna, et vit son frère Jehan qui abordait un grand officier à la porte du logis Gondelaurier.

C'était en effet monsieur le capitaine Phœbus de Châteaupers. Il était adossé à l'angle de la maison de sa fiancée.

« Ma foi, capitaine Phœbus, dit Jehan en lui prenant la main, vous sacrez avec une verve admirable.

— Je viens de chez ces bégueules, s'écria Phœbus, et quand j'en sors, j'ai toujours la gorge pleine de jurements !

— Voulez-vous venir boire ? » demanda l'écolier.

Cette proposition calma le capitaine.

« Je veux bien, mais je n'ai pas d'argent.

— J'en ai, moi !

— Bah ! voyons ? »

Jehan étala l'escarcelle aux yeux du capitaine, avec majesté et simplicité. Cependant l'archidiacre, qui avait laissé là Charmolue ébahi, était venu jusqu'à eux et s'était arrêté à quelques pas, les observant tous deux sans qu'ils prissent garde à lui.

Les deux amis se mirent en route vers la *Pomme d'Ève.*

L'archidiacre les suivait, sombre et hagard. Était-ce là le Phœbus dont le nom maudit, depuis son entrevue avec Gringoire, se mêlait à toutes ses pensées ? Il ne le savait, mais, enfin, c'était un Phœbus, et ce nom magique suffisait pour que l'archidiacre suivît à pas de loup les deux insouciants compagnons, écoutant leurs paroles et observant leurs moindres gestes avec une anxiété attentive.

Au détour d'une rue, le bruit d'un tambour de basque leur vint d'un carrefour voisin. Dom Claude entendit l'officier qui disait à l'écolier :

« Tonnerre ! doublons le pas.

— Pourquoi, Phœbus ?

— J'ai peur que la bohémienne ne me voie.

— Quelle bohémienne ?

— La petite qui a une chèvre.

— La Smeralda ?

— Justement, Jehan. J'oublie toujours son diable de nom. Dépêchons, elle me reconnaîtrait. Je ne veux pas que cette fille m'accoste dans la rue.

— Est-ce que vous la connaissez, Phœbus ? »

Ici l'archidiacre vit Phœbus ricaner, se pencher à l'oreille de Jehan, et lui dire quelques mots tout bas.

Puis Phœbus éclata de rire et secoua la tête d'un air triomphant.

« En vérité ? dit Jehan.

— Sur mon âme ! dit Phœbus.

— Ce soir ?

— Ce soir.

— Capitaine Phœbus, vous êtes un heureux gendarme ! »

L'archidiacre entendit toute cette conversation. Ses dents claquèrent. Un frisson, visible aux yeux, parcourut tout son corps. Il s'arrêta un moment, s'appuya à une borne comme un homme ivre, puis il reprit la piste des deux joyeux drôles.

7

Le moine bourru

L'illustre cabaret de la *Pomme d'Ève* était situé dans l'Université.

Un homme se promenait imperturbablement devant la bruyante taverne, y regardant sans cesse, et ne s'en écartant pas plus qu'un piquier de sa guérite. Il avait un manteau jusqu'au nez. Ce manteau, il venait de l'acheter au fripier qui avoisinait la *Pomme d'Ève*, sans doute pour se garantir du froid des soirées de mars, peut-être pour cacher son costume.

Enfin la porte du cabaret s'ouvrit. C'est ce qu'il paraissait attendre. Deux buveurs en sortirent. Le rayon de lumière qui s'échappa de la porte empourpra un moment leurs joviales figures. L'homme au manteau s'alla mettre en observation sous un porche de l'autre côté de la rue et put saisir dans son entier l'intéressante conversation que voici :

« Corbacque ! tâchez donc de marcher droit, monsieur le bachelier. Vous savez qu'il faut que je vous quitte. Voilà sept heures. J'ai rendez-vous avec une femme !

— Laissez-moi donc, vous ! Je vois des étoiles et des lances de feu.

— Jehan, mon ami Jehan ! vous savez que j'ai donné rendez-vous à cette petite au bout du pont Saint-Michel, que je ne puis la mener que chez la Falourdel, la vilotière[1] du pont, et qu'il faudra payer la chambre. La vieille ribaude à moustaches blanches ne me fera pas crédit. Jehan ! de grâce ! est-ce que nous avons bu toute l'escarcelle du curé ? est-ce qu'il ne vous reste plus un parisis ?

— La conscience d'avoir bien dépensé les autres heures est un juste et savoureux condiment de table.

— Au nom du ciel, mon bon ami Jehan, revenez à vous. Il ne me faut qu'un sou parisis et c'est pour sept heures.

— Silence à la ronde ! »

Phœbus poussa alors rudement l'écolier ivre, lequel glissa contre le mur et tomba mollement sur le pavé de Philippe-Auguste. Par un reste de cette pitié fraternelle qui n'abandonne jamais le cœur d'un buveur, Phœbus roula Jehan avec le pied et arrangea sa tête sur un plan incliné de trognons de choux, et à l'instant même l'écolier se mit à ronfler. Cependant toute rancune n'était pas éteinte au cœur du capitaine. « Tant pis si la charrette du diable le ramasse en passant ! » dit-il au pauvre clerc endormi ; et il s'éloigna.

---

1. Tenancière.

L'homme au manteau, qui n'avait cessé de le suivre, s'arrêta un moment devant l'écolier gisant, comme si une indécision l'agitait ; puis, poussant un profond soupir, il s'éloigna aussi à la suite du capitaine.

Phœbus s'aperçut que quelqu'un le suivait. Il vit, en détournant par hasard les yeux, une espèce d'ombre qui rampait derrière lui le long des murs. Il s'arrêta, elle s'arrêta. Il se remit en marche, l'ombre se remit en marche.

Devant la façade du collège d'Autun il fit halte. Il vit l'ombre qui s'approchait de lui à pas lents, si lents qu'il eut tout le temps d'observer que cette ombre avait un manteau et un chapeau. Arrivée près de lui, elle s'arrêta et demeura immobile.

Le capitaine était brave et se serait fort peu soucié d'un larron l'estoc au poing. Mais cette statue qui marchait, cet homme pétrifié le glacèrent. Il courait alors par le monde je ne sais quelles histoires du moine bourru, rôdeur nocturne des rues de Paris, qui lui revinrent confusément en mémoire. Il resta quelques minutes stupéfait et rompit enfin le silence, en s'efforçant de rire.

« Monsieur, si vous êtes un voleur, comme je l'espère, vous me faites l'effet d'un héron qui s'attaque à une coquille de noix. Je suis un fils de famille ruiné, mon cher. »

La main de l'ombre sortit de dessous son manteau et s'abattit sur le bras de Phœbus avec la pesanteur d'une serre d'aigle. En même temps l'ombre parla : « Capitaine Phœbus de Châteaupers !

— Comment diable ! dit Phœbus, vous savez mon nom !

— Je ne sais pas seulement votre nom, reprit l'homme au manteau avec sa voix de sépulcre. Vous avez un rendez-vous ce soir.

— Oui, répondit Phœbus stupéfait.

— À sept heures.

— Dans un quart d'heure.

— Chez la Falourdel.

— Précisément.

— La vilotière du pont Saint-Michel. Avec une femme qui s'appelle ?...

— La Smeralda », dit Phœbus allégrement.

Toute son insouciance lui était revenue par degrés.

À ce nom, la serre de l'ombre secoua avec fureur le bras de Phœbus.

« Capitaine Phœbus de Châteaupers, tu mens !

— Ah ! voilà qui va bien ! » balbutia-t-il d'une voix étouffée de rage. Il tira son épée, puis bégayant, car la colère fait trembler comme la peur : « Ici ! tout de suite ! sus ! les épées ! les épées ! du sang sur ces pavés ! »

Cependant l'autre ne bougeait. Quand il vit son adversaire en garde et prêt à se fendre : « Capitaine Phœbus, dit-il, et son accent vibrait avec amertume, vous oubliez votre rendez-vous. »

Cette simple parole fit baisser l'épée qui étincelait à la main du capitaine.

« Capitaine, poursuivit l'homme, demain, après-demain, dans un mois, dans dix ans, vous me retrouverez prêt à vous couper la gorge ; mais allez d'abord à votre rendez-vous. »

Phœbus remit l'épée au fourreau.

« Monsieur, dit Phœbus avec quelque embarras,

grand merci de votre courtoisie. Mais vous m'avez l'air d'un gaillard, et il est plus sûr de remettre la partie à demain. Je vais donc à mon rendez-vous. C'est pour sept heures comme vous savez. (Ici Phœbus se gratta l'oreille.) Ah ! corne-Dieu ! j'oubliais ! je n'ai plus un sou pour acquitter le truage du galetas, et la vieille matrone voudra être payée d'avance. Elle se défie de moi.

— Voici de quoi payer. »

Phœbus sentit la main froide de l'inconnu glisser dans la sienne une large pièce de monnaie. Il ne put s'empêcher de prendre cet argent et de serrer cette main.

« Vrai Dieu ! s'écria-t-il, vous êtes un bon enfant !

— Une condition, dit l'homme. Prouvez-moi que j'ai eu tort et que vous disiez vrai. Cachez-moi dans quelque coin d'où je puisse voir si cette femme est vraiment celle dont vous avez dit le nom.

— Oh ! répondit Phœbus, cela m'est bien égal. Nous prendrons la chambre à Sainte-Marthe. Vous pourrez voir à votre aise du chenil qui est à côté.

— Venez donc », reprit l'ombre.

Ils se remirent à marcher rapidement. Phœbus s'arrêta devant une porte basse et heurta rudement. Une lumière parut aux fentes de la porte.

« Qui est là ? cria une voix édentée.

— Corps-Dieu ! tête-Dieu ! ventre-Dieu ! » répondit le capitaine.

La porte s'ouvrit sur-le-champ et laissa voir aux arrivants une vieille femme et une vieille lampe qui tremblaient toutes deux. La vieille était pliée en deux, vêtue de guenilles, branlante du chef, percée à petits yeux, coiffée d'un torchon, ridée partout.

L'intérieur du bouge n'était pas moins délabré qu'elle. C'étaient des murs de craie, des solives noires au plafond, une cheminée démantelée, des toiles d'araignée à tous les coins. Un enfant sale dans les cendres, et dans le fond un escalier ou plutôt une échelle de bois qui aboutissait à une trappe au plafond.

En pénétrant dans ce repaire, le mystérieux compagnon de Phœbus haussa son manteau jusqu'à ses yeux. Cependant le capitaine se hâta de *faire dans un écu reluire le soleil*, comme dit notre admirable Régnier.

« La chambre à Sainte-Marthe », dit-il.

La vieille le traita de monseigneur, et serra l'écu dans un tiroir. Pendant qu'elle tournait le dos, le petit garçon chevelu et déguenillé qui jouait dans les cendres s'approcha adroitement du tiroir, y prit l'écu et mit à la place une feuille sèche qu'il avait arrachée d'un fagot.

La vieille fit signe aux deux gentilshommes, comme elle les nommait, de la suivre, et monta l'échelle devant eux. Parvenue à l'étage supérieur, elle posa sa lampe sur un coffre, et Phœbus, en habitué de la maison, ouvrit une porte qui donnait sur un bouge obscur. « Entrez là, mon cher », dit-il à son compagnon. L'homme au manteau obéit sans répondre une parole. La porte retomba sur lui. Il entendit Phœbus la refermer au verrou et un moment après redescendre l'escalier avec la vieille. La lumière avait disparu.

8

Utilité des fenêtres
qui donnent sur la rivière

Claude Frollo (car nous présumons que le lecteur, plus intelligent que Phœbus, n'a vu dans toute cette aventure d'autre moine bourru que l'archidiacre), Claude Frollo tâtonna quelques instants dans le réduit ténébreux où le capitaine l'avait verrouillé.

Que se passait-il en ce moment dans l'âme obscure de l'archidiacre ? lui et Dieu seul l'ont pu savoir.

Selon quel ordre fatal disposait-il dans sa pensée la Esmeralda, Phœbus, Jacques Charmolue, son jeune frère si aimé abandonné par lui dans la boue, sa réputation peut-être ?

Il attendait depuis un quart d'heure ; il lui semblait avoir vieilli d'un siècle. Tout à coup il entendit craquer les ais de l'escalier de bois. Quelqu'un montait. La trappe se rouvrit, une lumière reparut. Il y avait à la porte vermoulue de son bouge une fente assez large, il y colla son visage. De cette façon il pouvait voir tout ce qui se passait dans la chambre voisine. La vieille à face de chat sortit d'abord de la trappe, sa lampe à la main, puis Phœbus retroussant sa moustache, puis une troisième personne, cette belle et gracieuse figure, la Esmeralda. Le prêtre la vit sortir de terre comme une éblouissante apparition. Claude trembla, un nuage se répandit sur ses yeux, ses artères battirent avec force, tout bruissait et tournait autour de lui. Il ne vit et n'entendit plus rien.

Quand il revint à lui, Phœbus et la Esmeralda étaient seuls, assis sur le coffre de bois à côté de la lampe.

La jeune fille était rouge, interdite, palpitante. Ses longs cils baissés ombrageaient ses joues de pourpre. L'officier, sur lequel elle n'osait lever les yeux, rayonnait. Machinalement, et avec un geste charmant de gaucherie, elle traçait du bout du doigt sur le banc des lignes incohérentes, et elle regardait son doigt. On ne voyait pas son pied, la petite chèvre était accroupie dessus.

Le capitaine était mis fort galamment ; il avait au col et aux poignets des touffes de doreloterie : grande élégance d'alors.

Dom Claude ne parvint pas sans peine à entendre ce qu'ils se disaient.

« Oh ! disait la jeune fille sans lever les yeux, ne me méprisez pas, monseigneur Phœbus. Je sens que ce que je fais est mal.

— Vous mépriser, belle enfant ! répondait l'officier d'un air de galanterie supérieure et distinguée, vous mépriser, tête-Dieu ! et pourquoi ?

— Pour vous avoir suivi. »

Elle fixait sur le capitaine ses grands yeux noirs humides de joie et de tendresse.

La Esmeralda resta un moment silencieuse, puis une larme sortit de ses yeux, un soupir de ses lèvres, et elle dit : « Oh ! monseigneur, je vous aime. »

Il y avait autour de la jeune fille un tel parfum de chasteté, un tel charme de vertu que Phœbus ne se sentait pas complètement à l'aise auprès d'elle. Cependant cette parole l'enhardit. « Vous m'aimez ! » dit-il avec transport, et il jeta son bras autour de la taille de l'Égyptienne.

Le prêtre le vit et essaya du bout du doigt la pointe d'un poignard qu'il tenait caché dans sa poitrine.

« Phœbus, poursuivit la bohémienne en détachant doucement de sa ceinture les mains du capitaine, vous êtes bon, vous êtes généreux, vous êtes beau. Vous m'avez sauvée, moi qui ne suis qu'une pauvre enfant perdue en Bohême. Vous vous appelez Phœbus, c'est un beau nom. J'aime votre nom, j'aime votre épée. Tirez donc votre épée, Phœbus, que je la voie.

— Enfant ! » dit le capitaine, et il dégaina sa rapière en souriant.

L'égyptienne regarda la poignée, la lame, examina avec une curiosité adorable le chiffre de la garde et baisa l'épée en lui disant : « Vous êtes l'épée d'un brave. J'aime mon capitaine.

Phœbus profita encore de l'occasion pour déposer sur son beau cou ployé un baiser qui fit redresser la jeune fille écarlate comme une cerise. Le prêtre en grinça des dents dans ses ténèbres.

« Phœbus, reprit l'égyptienne, laissez-moi vous parler. Marchez donc un peu, que je vous voie tout grand et que j'entende sonner vos éperons. Comme vous êtes beau ! »

Le capitaine se leva pour lui complaire, en la grondant avec un sourire de satisfaction : « Mais êtes-vous enfant ! »

Phœbus vint se rasseoir près d'elle.

« Écoutez, ma chère... »

L'égyptienne lui donna quelques petits coups de sa jolie main sur la bouche avec un enfantillage plein de folie, de grâce et de gaieté. « Non, non, je ne vous écouterai pas. M'aimez-vous ? Je veux que vous me disiez si vous m'aimez.

— Si je t'aime, ange de ma vie ! s'écria le capitaine en s'agenouillant à demi. Je t'aime et n'ai jamais aimé que toi. »

À cette déclaration passionnée, l'égyptienne leva au sale plafond qui tenait lieu de ciel un regard plein d'un bonheur angélique. « Oh ! murmura-t-elle, voilà le moment où l'on devrait mourir !

— Mourir ! s'écria l'amoureux capitaine. Qu'est-ce que vous dites donc là, bel ange ? C'est le cas de vivre ! et en même temps il déboucla doucement la ceinture de l'Égyptienne.

— Que faites-vous donc ? dit-elle vivement.

— Rien, répondit Phœbus. Je disais seulement qu'il faudrait quitter toute cette toilette de folie et de coin de rue quand vous serez avec moi.

182

— Quand je serai avec toi, mon Phœbus ! » dit la jeune fille tendrement.

Elle devint pensive et silencieuse.

Tout à coup elle se tourna vers lui :

« Phœbus, dit-elle avec une expression d'amour infinie, instruis-moi dans ta religion.

— Ma religion ! s'écria le capitaine éclatant de rire. Moi, vous instruire dans ma religion ! qu'est-ce que vous voulez faire de ma religion ?

— C'est pour nous marier », répondit-elle.

La figure du capitaine prit une expression mélangée de surprise, de dédain, d'insouciance et de passion libertine.

« Ah bah ! dit-il, est-ce qu'on se marie ? »

La bohémienne devint pâle et laissa tristement retomber sa tête sur sa poitrine.

« Belle amoureuse, reprit tendrement Phœbus, qu'est-ce que c'est que ces folies-là ? »

En parlant ainsi de sa voix la plus douce, il s'approchait extrêmement près de l'égyptienne.

Dom Claude cependant voyait tout. La porte était faite de douves de poinçon toutes pourries, qui laissaient entre elles de larges passages à son regard d'oiseau de proie.

Tout à coup, Phœbus enleva d'un geste rapide la gorgerette de l'égyptienne. La pauvre enfant, qui était restée pâle et rêveuse, se réveilla comme en sursaut. Elle s'éloigna brusquement de l'entreprenant officier, et, jetant un regard sur sa gorge et ses épaules nues, rouge et confuse et muette de honte, elle croisa ses deux bras sur son sein pour le cacher.

Cependant le geste du capitaine avait mis à découvert l'amulette mystérieuse qu'elle portait au cou. « Qu'est-ce que cela ? » dit-il en saisissant ce prétexte pour se rapprocher de la belle créature qu'il venait d'effaroucher.

« N'y touchez pas ! répondit-elle vivement, c'est ma gardienne. C'est elle qui me fera retrouver ma famille si j'en reste digne. Oh ! laissez-moi, monsieur le capitaine ! Ma mère ! ma pauvre mère ! ma mère ! où es-tu ? à mon secours ! Grâce, monsieur Phœbus ! rendez-moi ma gorgerette ! »

Phœbus recula et dit d'un ton froid :

« Oh ! mademoiselle ! que je vois bien que vous ne m'aimez pas !

— Je ne t'aime pas ! s'écria la pauvre malheureuse enfant, et en même temps elle se pendit au capitaine qu'elle fit asseoir près d'elle. Je ne t'aime pas, mon Phœbus ! Qu'est-ce que tu dis là, méchant, pour me déchirer le cœur ? Je suis à toi. Que m'importe l'amulette ! que m'importe ma mère ! c'est toi qui es ma mère, puisque je t'aime ! Phœbus, mon Phœbus bien-aimé, me vois-tu ? c'est moi, regarde-moi. C'est cette petite que tu veux bien ne pas repousser, qui vient, qui vient elle-même te chercher. Mon âme, ma vie, mon corps, ma personne, tout cela est une chose qui est à vous, mon capitaine. Eh bien, non ! ne nous marions pas, cela t'ennuie. Et puis, qu'est-ce que je suis, moi ? une misérable fille du ruisseau, tandis que toi, mon Phœbus, tu es gentilhomme. Belle chose vraiment ! une danseuse épouser un officier ! j'étais folle. Phœbus, aime-moi seulement ! Nous autres égyptiennes, il ne nous faut que cela, de l'air et de l'amour. »

En parlant ainsi, elle jetait ses bras autour du cou de l'officier, elle le regardait du bas en haut suppliante et avec un beau sourire tout en pleurs.

Tout à coup, au-dessus de la tête de Phœbus, elle vit une autre tête, une figure livide, verte, convulsive, avec un regard de damné. Près de cette figure il y avait une main qui tenait un poignard. C'était la figure et la main du prêtre. Il avait brisé la porte et il était là. Phœbus ne pouvait le voir. La jeune fille resta immobile, glacée, muette sous l'épouvantable apparition, comme une colombe qui lèverait la tête au moment où l'orfraie regarde dans son nid avec ses yeux ronds.

Elle ne put même pousser un cri. Elle vit le poignard s'abaisser sur Phœbus. « Malédiction ! » dit le capitaine, et il tomba.

Elle s'évanouit.

Quand elle reprit ses sens, elle était entourée de soldats du guet, on emportait le capitaine baigné dans son sang, le prêtre avait disparu, la fenêtre du fond de la chambre, qui donnait sur la rivière, était toute grande ouverte, on ramassait un manteau qu'on supposait appartenir à l'officier, et elle entendait dire autour d'elle : « C'est une sorcière qui a poignardé un capitaine. »

LIVRE SIXIÈME

1

L'écu changé
en feuille sèche

Gringoire et toute la Cour des Miracles étaient dans une mortelle inquiétude. On ne savait depuis un grand mois ce qu'était devenue la Esmeralda, ce qui contristait fort le duc d'Égypte et ses amis les truands, ni ce qu'était devenue sa chèvre, ce qui redoublait la douleur de Gringoire. Un soir, l'égyptienne avait disparu, et depuis lors n'avait plus donné signe de vie. Toutes recherches avaient été inutiles.

Un jour qu'il passait tristement devant la Tournelle criminelle, il aperçut quelque foule à l'une des portes du Palais de Justice.

« Qu'est cela ? demanda-t-il à un jeune homme qui en sortait.

— Je ne sais pas, monsieur, répondit le jeune homme. On dit qu'on juge une femme qui a assassiné un gendarme. Comme il paraît qu'il y a de la sorcellerie là-dessous, l'évêque et l'official sont intervenus dans la cause, et mon frère, qui est archidiacre de Josas, y passe sa vie. »

Il n'osa pas dire au jeune homme qu'il connaissait son frère l'archidiacre.

L'écolier passa son chemin, et Gringoire se mit à suivre la foule qui montait l'escalier de la grand'chambre. Il estimait qu'il n'est rien de tel que le spectacle d'un procès criminel pour dissiper la mélancolie, tant les juges sont ordinairement d'une bêtise réjouissante. Le peuple auquel il s'était mêlé marchait et se coudoyait en silence. Après un lent et insipide piétinement sous un long couloir sombre, qui serpentait dans le palais, il parvint auprès d'une porte basse qui débouchait sur une salle que sa haute taille lui permit d'explorer du regard par-dessus les têtes ondoyantes de la cohue.

La salle était vaste et sombre. Il y avait déjà plusieurs chandelles allumées çà et là sur des tables et rayonnant sur des têtes de greffiers affaissés dans des paperasses. On distinguait vaguement un grand christ au-dessus des juges, et partout des piques et des hallebardes au bout desquelles la lumière des chandelles mettait des pointes de feu.

« Monsieur, demanda Gringoire à l'un de ses voisins, qu'est-ce que c'est donc que toutes ces personnes rangées là-bas comme prélats en concile ?

— Monsieur, dit le voisin, ce sont les conseillers de la grand'chambre à droite, et les conseillers des enquêtes à gauche ; les maîtres en robes noires, et les messires en robes rouges.

— Là, au-dessus d'eux, reprit Gringoire, qu'est-ce que c'est que ce gros rouge qui sue ?

— C'est monsieur le président.

— Et ces moutons derrière lui ? poursuivit Gringoire, lequel, nous l'avons déjà dit, n'aimait pas la magistrature.

— Ce sont messieurs les maîtres des requêtes de l'Hôtel du roi.

— Et devant lui, ce sanglier ?

— C'est monsieur le greffier de la cour de parlement.

— Et à droite, ce crocodile ?

— Maître Philippe Lheulier, avocat du roi extraordinaire.

— Et à gauche, ce gros chat noir ?

— Maître Jacques Charmolue, procureur du roi en cour d'église, avec messieurs de l'officialité.

— Or, çà, monsieur, dit Gringoire, que font donc tous ces braves gens-là ?

— Ils jugent.

— Ils jugent qui ? je ne vois pas d'accusé.

— C'est une femme, monsieur. Vous ne pouvez la voir. Elle nous tourne le dos, et elle nous est cachée par la foule. Tenez, elle est là où vous voyez un groupe de pertuisanes[1].

— Qu'est-ce que cette femme ? demanda Gringoire. Savez-vous son nom ?

— Non, monsieur. Je ne fais que d'arriver. Je pré-

_____

1. Sortes de hallebardes dont le grand fer est triangulaire.

sume seulement qu'il y a de la sorcellerie, parce que l'official assiste au procès.

— Allons ! dit notre philosophe, nous allons voir tous ces gens de robe manger de la chair humaine. C'est un spectacle comme un autre.

— Monsieur, observa le voisin, est-ce que vous ne trouvez pas que maître Jacques Charmolue a l'air très doux ?

— Hum ! répondit Gringoire. Je me défie d'une douceur qui a les narines pincées et les lèvres minces. »

Ici les voisins imposèrent silence aux deux causeurs. On écoutait une déposition importante.

« Messeigneurs, disait, au milieu de la salle, une vieille dont le visage disparaissait tellement sous ses vêtements qu'on eût dit un monceau de guenilles qui marchait, messeigneurs, la chose est aussi vraie qu'il est vrai que c'est moi qui suis la Falourdel, établie depuis quarante ans au pont Saint-Michel. Une pauvre vieille à présent, une jolie fille autrefois, messeigneurs ! On me disait depuis quelques jours : La Falourdel, ne filez pas trop votre rouet le soir, le diable aime peigner avec ses cornes la quenouille des vieilles femmes. Il est sûr que le moine bourru, qui était l'an passé du côté du Temple, rôde maintenant dans la Cité. La Falourdel, prenez garde qu'il ne cogne à votre porte. Un soir, je filais mon rouet, on cogne à ma porte. Je demande qui. On jure. J'ouvre. Deux hommes entrent. Un noir, avec un bel officier. On ne voyait que les yeux du noir, deux braises. Tout le reste était manteau et chapeau. Voilà qu'ils me disent : "La chambre à Sainte-Marthe." C'est ma chambre d'en haut, messeigneurs, ma plus propre. Ils me donnent un écu. Je serre l'écu dans mon tiroir, et je dis : "Ce sera pour acheter demain des tripes à l'écorcherie de la Gloriette." Nous montons. Arrivés à la chambre d'en haut, pendant que je tournais le dos, l'homme noir disparaît. Cela m'ébahit un peu. L'officier, qui était beau comme un grand seigneur, redescend avec moi. Il sort. Le temps de filer un quart d'écheveau, il rentre avec une belle jeune fille, une poupée qui eût brillé comme un soleil si elle eût été coiffée. Elle avait avec elle un bouc, un grand bouc, noir ou blanc, je ne sais plus. Voilà qui me fait songer. La fille, cela ne me regarde pas, mais le bouc !... Je n'aime pas ces bêtes-là, elles ont une barbe et des cornes. Cela ressemble à un homme. Et puis, cela sent le samedi. Cependant, je ne dis rien. J'avais l'écu. C'est juste, n'est-ce pas, monsieur le Juge ? Je fais monter la fille et le capitaine à la chambre d'en haut, et je les laisse seuls, c'est-à-dire avec le bouc. Je descends et je me remets à filer. Il faut vous dire que ma maison a un rez-de-chaussée et un premier, elle donne par-derrière sur la rivière, comme les autres maisons du pont, et la fenêtre du rez-de-chaussée et la fenêtre du premier s'ouvrent sur l'eau. J'étais donc en train de filer. Je ne sais pourquoi je pensais à ce moine bourru que le bouc m'avait remis en tête, et puis la belle fille était un peu farouchement attifée. Tout à coup, j'entends un cri en haut, et choir quelque chose sur le carreau, et que la fenêtre s'ouvre. Je cours à la mienne qui est au-dessous, et je vois passer devant mes yeux une masse noire qui tombe dans l'eau. C'était un fantôme habillé en prêtre. Il faisait clair de lune. Je l'ai très bien vu. Il nageait du côté de la Cité.

Alors, toute tremblante, j'appelle le guet. Ces messieurs de la douzaine entrent. Je leur ai expliqué. Nous montons, et qu'est-ce que nous trouvons ? ma pauvre chambre tout en sang, le capitaine étendu de son long avec un poignard dans le cou, la fille faisant la morte, et le bouc tout effarouché. "Bon, dis-je, j'en aurai pour plus de quinze jours à laver le plancher. Il faudra gratter, ce sera terrible." On a emporté l'officier, pauvre jeune homme ! et la fille toute débraillée. Attendez. Le pire, c'est que le lendemain, quand j'ai voulu prendre l'écu pour acheter les tripes, j'ai trouvé une feuille sèche à la place. »

La vieille se tut. Un murmure d'horreur circula dans l'auditoire. « Ce fantôme, ce bouc, tout cela sent la magie, dit un voisin de Gringoire. Et cette feuille sèche ! ajouta un autre. Nul doute, reprit un troisième, c'est une sorcière qui a des commerces avec le moine bourru pour dévaliser les officiers. »

Le magistrat qui avait fait à Gringoire l'effet d'un crocodile se leva. « Paix ! dit-il. Je prie messieurs de ne pas perdre de vue qu'on a trouvé un poignard sur l'accusée. Femme Falourdel, avez-vous apporté cette feuille sèche en laquelle s'est transformé l'écu que le démon vous avait donné ?

— Oui, monseigneur, répondit-elle, je l'ai retrouvée. La voici. »

Un huissier transmit la feuille morte au crocodile qui fit un signe de tête lugubre et la passa au président qui la renvoya au procureur du roi en cour d'église, de façon qu'elle fît le tour de la salle.

« C'est une feuille de bouleau[1], dit maître Jacques Charmolue. Nouvelle preuve de la magie. »

Un conseiller prit la parole.

« Témoin, deux hommes sont montés en même temps, chez vous. L'homme noir, que vous avez vu d'abord disparaître, puis nager en Seine avec des habits de prêtre, et l'officier. Lequel des deux vous a remis l'écu ? »

La vieille réfléchit un moment et dit : « C'est l'officier. » Une rumeur parcourut la foule.

Cependant maître Philippe Lheulier intervint de nouveau.

« Je rappelle à messieurs que, dans sa déposition écrite à son chevet, l'officier assassiné, en déclarant qu'il avait eu vaguement la pensée, au moment où l'homme noir l'avait accosté, que ce pourrait fort bien être le moine bourru, ajoutait que le fantôme l'avait vivement pressé de s'aller accointer avec l'accusée, et sur l'observation de lui, capitaine, qu'il était sans argent, lui avait donné l'écu dont ledit officier a payé la Falourdel. Donc, l'écu est une monnaie de l'enfer.

« Messieurs ont le dossier des pièces, ajouta l'avocat du roi en s'asseyant, ils peuvent consulter le dire de Phœbus de Châteaupers. »

À ce nom l'accusée se leva. Sa tête dépassa la foule. Gringoire, épouvanté, reconnut la Esmeralda.

Elle était pâle ; ses cheveux, autrefois si gracieusement nattés et pailletés de sequins, tombaient en

---

1. Bois dont est censé être fait le balai des sorcières.

désordre ; ses lèvres étaient bleues ; ses yeux creux effrayaient. Hélas !

« Phœbus ! dit-elle avec égarement, où est-il ? Ô messeigneurs ! avant de me tuer, par grâce, dites-moi s'il vit encore !

— Taisez-vous, femme, répondit le président. Ce n'est pas là notre affaire.

— Oh ! par pitié, dites-moi s'il est vivant ! reprit-elle en joignant ses belles mains amaigries ; et l'on entendait ses chaînes frissonner le long de sa robe.

— Eh bien ! dit sèchement l'avocat du roi, il se meurt. Êtes-vous contente ? »

La malheureuse retomba sur sa sellette, sans voix, sans larmes, blanche comme une figure de cire.

Le président se baissa vers un homme placé à ses pieds, qui avait un bonnet d'or et une robe noire, une chaîne au cou et une verge à la main.

« Huissier, introduisez la seconde accusée. »

Tous les yeux se tournèrent vers une petite porte qui s'ouvrit, et, à la grande palpitation de Gringoire, donna passage à une jolie chèvre aux cornes et aux pieds d'or. Tout à coup elle aperçut la bohémienne, et, sautant par-dessus la table et la tête d'un greffier, en deux bonds elle fut à genoux. Puis elle se roula gracieusement sur les pieds de sa maîtresse, sollicitant un mot ou une caresse ; mais l'accusée resta immobile, et la pauvre Djali elle-même n'eut pas un regard.

« Eh mais... c'est ma vilaine bête », dit la vieille Falourdel.

Jacques Charmolue intervint.

« S'il plaît à messieurs, nous procéderons à l'interrogatoire de la chèvre. »

C'était en effet la seconde accusée. Rien de plus simple alors qu'un procès de sorcellerie intenté à un animal.

Cependant le procureur en cour d'église s'était écrié : « Si le démon qui possède cette chèvre persiste dans ses maléfices, s'il en épouvante la cour, nous le prévenons que nous serons forcés de requérir contre lui le gibet ou le bûcher. »

Gringoire eut la sueur froide. Charmolue prit sur une table le tambour de basque de la bohémienne, et, le présentant d'une certaine façon à la chèvre, il lui demanda :

« Quelle heure est-il ? »

La chèvre le regarda d'un œil intelligent, leva son pied doré et frappa sept coups. Il était en effet sept heures. Un mouvement de terreur parcourut la foule.

Gringoire n'y put tenir.

« Elle se perd ! cria-t-il tout haut. Vous voyez bien qu'elle ne sait ce qu'elle fait.

— Silence aux manants du bout de la salle ! » dit aigrement l'huissier.

Jacques Charmolue, à l'aide des mêmes manœuvres du tambourin, fit faire à la chèvre plusieurs autres momeries, sur la date du jour, le mois de l'année, etc.

Ce fut bien pis encore quand, le procureur du roi ayant vidé sur le carreau un certain sac de cuir plein de lettres mobiles que Djali avait au cou, on vit la chèvre extraire avec sa patte de l'alphabet épars le nom fatal : *Phœbus*. Aux yeux de tous, la bohémienne, cette ravissante danseuse qui avait tant de fois ébloui les passants de sa grâce, ne fut plus qu'une effroyable stryge[1].

Du reste, elle ne donnait aucun signe de vie. Rien n'arrivait plus à sa pensée.

Il fallut, pour la réveiller, qu'un sergent la secouât sans pitié et que le président élevât solennellement la voix :

« Fille, vous êtes de race bohème, adonnée aux maléfices. Vous avez, de complicité avec la chèvre ensorcelée impliquée au procès, dans la nuit du 29 mars dernier, meurtri et poignardé, de concert avec les puissances de ténèbres, à l'aide de charmes et de pratiques, un capitaine des archers de l'ordonnance du roi, Phœbus de Châteaupers. Persistez-vous à nier ?

— Horreur ! cria la jeune fille en cachant son visage de ses mains. Mon Phœbus ! Oh ! c'est l'enfer !

— Persistez-vous à nier ? demanda froidement le président.

— Si je nie ! » dit-elle d'un accent terrible ; et elle s'était levée et son œil étincelait.

Le président continua carrément :

« Alors comment expliquez-vous les faits à votre charge ? »

Elle répondit d'une voix entrecoupée :

« Je l'ai déjà dit. Je ne sais pas. C'est un prêtre. Un prêtre que je ne connais pas. Un prêtre infernal qui me poursuit !

— C'est cela, reprit le juge. Le moine bourru.

---

1. Vampire mi-femme mi-chienne.

— Ô messeigneurs ! ayez pitié ! je ne suis qu'une pauvre fille...

— D'Égypte », dit le juge.

Maître Jacques Charmolue prit la parole avec douceur : « Attendu l'obstination douloureuse de l'accusée, je requiers l'application de la question.

— Accordé », dit le président.

La malheureuse frémit de tout son corps. Elle se leva pourtant et marcha d'un pas assez ferme, précédée de Charmolue et des prêtres de l'officialité, entre deux rangs de hallebardes, vers une porte bâtarde qui s'ouvrit subitement et se referma sur elle, ce qui fit au triste Gringoire l'effet d'une gueule horrible qui venait de la dévorer.

Quand elle disparut, on entendit un bêlement plaintif. C'était la petite chèvre qui pleurait.

L'audience fut suspendue.

« La fâcheuse et déplaisante drôlesse, dit un vieux juge, qui se fait donner la question quand on n'a pas soupé ! »

2

Suite de l'écu changé
en feuille sèche

Après quelques degrés montés et descendus dans des couloirs si sombres qu'on les éclairait de lampes en plein jour, la Esmeralda, toujours entourée de son lugubre cortège, fut poussée par les sergents du palais dans une chambre sinistre de forme ronde. Pas de fenêtre à ce caveau, pas d'autre ouverture que l'entrée, basse et battue d'une énorme porte de fer.

Ce Tartare s'appelait *la chambre de la question*.

Sur le lit était nonchalamment assis Pierrat Torterue, le tourmenteur-juré. Ses valets, deux gnomes à face carrée, à tablier de cuir, à braies de toile, remuaient la ferraille sur les charbons.

La pauvre fille avait eu beau recueillir son courage. En pénétrant dans cette chambre, elle eut horreur.

Les sergents du bailli du Palais se rangèrent d'un

côté, les prêtres de l'officialité de l'autre. Un greffier, une écritoire et une table étaient dans un coin.

Maître Jacques Charmolue s'approcha de l'égyptienne avec un sourire très doux.

« Ma chère enfant, dit-il, vous persistez donc à nier ?

— Oui, répondit-elle d'une voix déjà éteinte.

— En ce cas, reprit Charmolue, il sera bien douloureux pour nous de vous questionner avec plus d'instance que nous le voudrions. Veuillez prendre la peine de vous asseoir sur ce lit. Maître Pierrat, faites place à mademoiselle, et fermez la porte. »

Pierrat se leva avec un grognement.

Cependant la Esmeralda restait debout. Ce lit de cuir, où s'étaient tordus tant de misérables, l'épouvantait. La terreur lui glaçait la moelle des os. Elle était là, effarée et stupide. À un signe de Charmolue, les deux valets la prirent et la posèrent assise sur le lit. Ils ne lui firent aucun mal, mais quand ces hommes la touchèrent, quand ce cuir la toucha, elle sentit tout son sang refluer vers son cœur. Elle jeta un regard égaré autour de la chambre.

« Où est le médecin ? demanda Charmolue.

— Ici », répondit une robe noire qu'elle n'avait pas encore aperçue.

Elle frissonna.

« Mademoiselle, reprit la voix caressante du procureur en cour d'église, pour la troisième fois persistez-vous à nier les faits dont vous êtes accusée ? »

Cette fois elle ne put que faire un signe de tête. La voix lui manqua.

« Vous persistez ? dit Jacques Charmolue. Alors,

j'en suis désespéré, mais il faut que je remplisse le devoir de mon office.

— Monsieur le procureur du roi, dit brusquement Pierrat, par où commencerons-nous ? »

Charmolue hésita un moment avec la grimace ambiguë d'un poète qui cherche une rime.

« Par le brodequin », dit-il enfin.

L'infortunée se sentit si profondément abandonnée de Dieu et des hommes que sa tête tomba sur sa poitrine comme une chose inerte qui n'a pas de force en soi.

Le tourmenteur et le médecin s'approchèrent d'elle à la fois. En même temps, les deux valets se mirent à fouiller dans leur hideux arsenal.

Au cliquetis de ces affreuses ferrailles, la malheureuse enfant tressaillit comme une grenouille morte qu'on galvanise. « Oh ! murmura-t-elle, si bas que nul ne l'entendit, ô mon Phœbus ! » Puis elle se replongea dans son immobilité et dans son silence de marbre. Ce spectacle eût déchiré tout autre cœur que les cœurs des juges.

Cependant les mains calleuses des valets de Pierrat Torterue avaient brutalement mis à nu cette jambe charmante, ce petit pied qui avaient tant de fois émerveillé les passants de leur gentillesse et de leur beauté dans les carrefours de Paris.

« C'est dommage ! » grommela le tourmenteur en considérant ces formes si gracieuses et délicates.

Bientôt la malheureuse vit, à travers un nuage qui se répandait sur ses yeux, approcher le *brodequin*, bientôt elle vit son pied emboîté entre les ais ferrés disparaître sous l'effrayant appareil. Alors la terreur lui rendit de la force. « Ôtez-moi cela ! » cria-t-elle avec emportement. Et, se dressant tout échevelée : « Grâce ! »

Elle s'élança hors du lit pour se jeter aux pieds du procureur du roi, mais sa jambe était prise dans le lourd bloc de chêne et de ferrures, et elle s'affaissa sur le brodequin, plus brisée qu'une abeille qui aurait un plomb sur l'aile.

À un signe de Charmolue, on la replaça sur le lit, et deux grosses mains assujettirent à sa fine ceinture la courroie qui pendait de la voûte.

« Une dernière fois, avouez-vous les faits de la cause ? demanda Charmolue avec son imperturbable bénignité.

— Je suis innocente.

— Alors, mademoiselle, comment expliquez-vous les circonstances à votre charge ?

— Hélas ! monseigneur ! je ne sais.

— Vous niez donc ?

— Tout !

— Faites », dit Charmolue à Pierrat.

Pierrat tourna la poignée du cric, le brodequin se resserra, et la malheureuse poussa un de ces horribles cris qui n'ont d'orthographe dans aucune langue humaine.

« Arrêtez, dit Charmolue à Pierrat. Avouez-vous ? dit-il à l'égyptienne.

— Tout ! cria la misérable fille. J'avoue, j'avoue ! grâce ! »

Elle n'avait pas calculé ses forces en affrontant la question. Pauvre enfant dont la vie jusqu'alors avait été si joyeuse, si suave, si douce, la première douleur l'avait vaincue.

« L'humanité m'oblige à vous dire, observa le procureur du roi, qu'en avouant c'est la mort que vous devez attendre.

— Je l'espère bien », dit-elle. Et elle retomba sur le lit de cuir, mourante, pliée en deux, se laissant pendre à la courroie bouclée sur sa poitrine.

Jacques Charmolue éleva la voix.

« Greffier, écrivez. – Jeune fille bohème, vous avouez votre participation aux agapes, sabbats et maléfices de l'enfer, avec les larves, les masques et les stryges ? Répondez.

— Oui, dit-elle, si bas que sa parole se perdait dans son souffle.

— Vous avouez avoir vu le bélier que Belzébuth fait paraître dans les nuées pour rassembler le sabbat, et qui n'est vu que des sorciers ?

— Oui.

— Avoir eu commerce habituel avec le diable sous la forme d'une chèvre familière, jointe au procès ?

— Oui.

— Enfin, vous avouez et confessez avoir, à l'aide du démon, et du fantôme vulgairement appelé le moine bourru, dans la nuit du vingt-neuvième jour de mars dernier, meurtri et assassiné un capitaine nommé Phœbus de Châteaupers ? »

Elle leva sur le magistrat ses grands yeux et répondit comme machinalement, sans convulsion et sans secousse : « Oui. » Il était évident que tout était brisé en elle.

« Écrivez, greffier », dit Charmolue. Et, s'adressant

aux tortionnaires : « Qu'on détache la prisonnière et qu'on la ramène à l'audience. »

Quand la prisonnière fut *déchaussée*, le procureur en cour d'église examina son pied encore engourdi par la douleur. « Allons ! dit-il, il n'y a pas grand mal. Vous avez crié à temps. Vous pourriez encore danser, la belle ! »

Puis il se tourna vers ses acolytes de l'officialité. « Voilà enfin la justice éclairée ! Cela soulage, messieurs ! Mademoiselle nous rendra ce témoignage, que nous avons agi avec toute la douceur possible. »

3

Fin de l'écu changé
en feuille sèche

Quand elle rentra, pâle et boitant, dans la salle d'audience, un murmure général de plaisir l'accueillit. De la part de l'auditoire, c'était ce sentiment d'impatience satisfaite qu'on éprouve au théâtre à l'expiration du dernier entracte de la comédie, lorsque la toile se relève et que la fin va commencer. De la part des juges, c'était espoir de bientôt souper. La petite chèvre aussi bêla de joie. Elle voulut courir vers sa maîtresse, mais on l'avait attachée au banc.

La nuit était tout à fait venue. Les chandelles, dont on n'avait pas augmenté le nombre, jetaient si peu de lumière qu'on ne voyait pas les murs de la salle.

Elle s'était traînée à sa place. Quand Charmolue se fut installé magistralement à la sienne, il s'assit, puis se releva, et dit, sans laisser percer trop de vanité de son succès : « L'accusée a tout avoué.

— Fille bohème, reprit le président, vous avez avoué tous vos faits de magie et d'assassinat sur Phœbus de Châteaupers ? »

Son cœur se serra. On l'entendit sangloter dans l'ombre.

« Tout ce que vous voudrez, répondit-elle faiblement, mais tuez-moi vite !

— Monsieur le procureur du roi en cour d'église, dit le président, la chambre est prête à vous entendre en vos réquisitions. »

Maître Charmolue exhiba un effrayant cahier, et se mit à lire, avec force gestes et l'accentuation exagérée de la plaidoirie, une oraison en latin, où toutes les preuves du procès s'échafaudaient sur des périphrases cicéroniennes, flanquées de citations de Plaute, son comique favori. Il n'avait pas achevé l'exorde que déjà la sueur lui sortait du front et les yeux de la tête.

Tout à coup, au beau milieu d'une période, il s'interrompit, et son regard, d'ordinaire assez doux et même assez bête, devint foudroyant.

« Messieurs, s'écria-t-il (cette fois en français, car ce n'était pas dans le cahier), Satan est tellement mêlé dans cette affaire que le voilà qui assiste à vos débats et fait singerie de leur majesté. Voyez ! »

En parlant ainsi, il désignait de la main la petite chèvre, qui, voyant gesticuler Charmolue, avait cru en effet qu'il était à propos d'en faire autant, et s'était assise sur le derrière, reproduisant de son mieux, avec ses pattes de devant et sa tête barbue, la pantomime pathétique du procureur du roi en cour d'église. Cet incident, cette dernière *preuve*, fit grand effet. On lia les pattes à la chèvre et le procureur du roi reprit le fil de son éloquence.

Cela fut très long ! Enfin la malheureuse entendit le peuple se remuer, les piques s'entre-choquer et une voix glaciale qui disait :

« Fille bohème, le jour qu'il plaira au roi notre sire, à l'heure de midi, vous serez menée dans un tombereau, en chemise, pieds nus, la corde au cou, devant le grand portail de Notre-Dame, et y ferez amende honorable avec une torche de cire du poids de deux livres à la main, et de là serez menée en place de Grève, où vous serez pendue et étranglée au gibet de la ville ; et votre chèvre pareillement ; et payerez à l'official trois lions d'or, en réparation des crimes, par vous commis et par vous confessés, de sorcellerie, de magie, de luxure et de meurtre sur la personne du sieur Phœbus de Châteaupers. Dieu ait votre âme !

— Oh ! c'est un rêve ! » murmura-t-elle ; et elle sentit de rudes mains qui l'emportaient.

4

Lasciate ogni speranza[1]

Au Moyen Âge, quand un édifice était complet, il y
en avait presque autant dans la terre que dehors.
À moins d'être bâtis sur pilotis, comme Notre-Dame,
un palais, une forteresse, une église avaient toujours
un double fond. Dans les cathédrales, c'était en quelque sorte une autre cathédrale souterraine, basse, obscure, mystérieuse. Dans les palais, dans les bastilles,
c'était une prison, quelquefois aussi un sépulcre, quelquefois les deux ensemble.

C'est dans un fond de cuve de ce genre, dans les
oubliettes creusées par saint Louis, dans l'*in-pace*[2] de
la Tournelle, qu'on avait, de peur d'évasion sans

---

1. « Abandonne toute espérance » (en italien) ; inscription à
l'entrée de l'Enfer dans *La Divine Comédie* de Dante.
2. « En paix » (en latin) ; oubliettes dont le nom vient de
l'inscription funéraire sur les tombes.

doute, déposé la Esmeralda condamnée au gibet, avec le colossal Palais-de-Justice sur la tête.

Elle était là, perdue dans les ténèbres, ensevelie, enfouie, murée. Qui l'eût pu voir en cet état, après l'avoir vue rire et danser au soleil, eût frémi.

Depuis qu'elle était là, elle ne veillait ni ne dormait Dans cette infortune, dans ce cachot, elle ne pouvait pas plus distinguer la veille du sommeil, le rêve de la réalité, que le jour de la nuit. Tout cela était mêlé, brisé, flottant, répandu confusément dans la pensée. Elle ne sentait plus, elle ne savait plus, elle ne pensait plus. Tout au plus elle songeait. Jamais créature vivante n'avait été engagée si avant dans le néant.

Un jour enfin ou une nuit (car minuit et midi avaient même couleur dans ce sépulcre), elle entendit au-dessus d'elle un bruit plus fort que celui que faisait d'ordinaire le guichetier quand il lui apportait son pain et sa cruche. Elle leva la tête et vit un rayon rougeâtre passer à travers les fentes de l'espèce de porte ou de trappe pratiquée dans la voûte de l'*in-pace*.

En même temps la lourde ferrure cria, la trappe grinça sur ses gonds rouillés, tourna, et elle vit une lanterne, une main et la partie inférieure du corps de deux hommes, la porte étant trop basse pour qu'elle pût apercevoir leurs têtes. La lumière la blessa si vivement qu'elle ferma les yeux.

Quand elle les rouvrit, la porte était refermée, le falot était posé sur un degré de l'escalier, un homme, seul, était debout devant elle. Une cagoule noire lui tombait jusqu'aux pieds. On ne voyait rien de sa personne, ni sa face ni ses mains. C'était un long suaire noir qui se tenait debout, et sous lequel on sentait remuer quelque chose. Elle regarda fixement quelques minutes cette espèce de spectre. Cependant, elle ni lui ne parlaient. On eût dit deux statues qui se confrontaient.

Enfin la prisonnière rompit le silence :

« Qui êtes-vous ?

— Un prêtre. »

Le mot, l'accent, le son de voix, la firent tressaillir. Le prêtre poursuivit en articulant sourdement :

« Êtes-vous préparée ?

— À quoi ?

— À mourir.

— Oh ! dit-elle, sera-ce bientôt ?

— Demain. »

Sa tête, qui s'était levée avec joie, revint frapper sa poitrine.

« C'est encore bien long ! murmura-t-elle ; qu'est-ce que cela leur faisait, aujourd'hui ?

— Vous êtes donc très malheureuse ? demanda le prêtre après un silence.

— J'ai bien froid », répondit-elle.

Le prêtre parut promener de dessous son capuchon ses yeux dans le cachot.

« Sans lumière ! sans feu ! dans l'eau ! c'est horrible.

— Oui, répondit-elle avec l'air étonné que le malheur lui avait donné.

— Savez-vous, reprit le prêtre après un nouveau silence, pourquoi vous êtes ici ?

— Je crois que je l'ai su, dit-elle en passant ses

211

doigts maigres sur ses sourcils comme pour aider sa mémoire, mais je ne le sais plus. »

Tout à coup elle se mit à pleurer comme un enfant.

« Je voudrais sortir d'ici, monsieur. J'ai froid, j'ai peur, et il y a des bêtes qui me montent le long du corps.

— Eh bien, suivez-moi. »

En parlant ainsi, le prêtre lui prit le bras. La malheureuse était gelée jusque dans les entrailles, cependant cette main lui fit une impression de froid.

« Oh ! murmura-t-elle, c'est la main glacée de la mort. Qui êtes-vous donc ? »

Le prêtre releva son capuchon. Elle regarda. C'était ce visage sinistre qui la poursuivait depuis si longtemps, cette tête de démon qui lui était apparue chez la Falourdel au-dessus de la tête adorée de son Phœbus, cet œil qu'elle avait vu pour la dernière fois briller près d'un poignard.

Cette apparition, toujours si fatale pour elle, et qui l'avait ainsi poussée de malheur en malheur jusqu'au supplice, la tira de son engourdissement. Il lui sembla que l'espèce de voile qui s'était épaissi sur sa mémoire se déchirait.

« Ha ! cria-t-elle, les mains sur ses yeux et avec un tremblement convulsif, c'est le prêtre ! »

Puis elle laissa tomber ses bras découragés, et resta assise, la tête baissée, l'œil fixé à terre, muette, et continuant de trembler.

« Je vous fais donc horreur ? dit-il enfin.

— Oui, dit-elle, le bourreau raille le condamné. Voilà des mois qu'il me poursuit, qu'il me menace, qu'il m'épouvante ! Sans lui, mon Dieu, que j'étais

212

heureuse ! C'est lui qui m'a jetée dans cet abîme ! Ô ciel ! c'est lui qui a tué... c'est lui qui l'a tué ! mon Phœbus ! »

Ici, éclatant en sanglots et levant les yeux sur le prêtre :

« Oh ! misérable ! qui êtes-vous ? que vous ai-je fait ? vous me haïssez donc bien ? Hélas ! qu'avez-vous contre moi ?

— Écoute, dit le prêtre. Tu vas tout savoir. Écoute. Avant de te rencontrer, jeune fille, j'étais heureux...

— Et moi ! soupira-t-elle faiblement.

— Ne m'interromps pas. Oui, j'étais heureux, je croyais l'être du moins. J'étais pur, j'avais l'âme pleine d'une clarté limpide. Pas de tête qui s'élevât plus fière et plus radieuse que la mienne. Les prêtres me consultaient sur la chasteté, les docteurs sur la doctrine. Oui, la science était tout pour moi. C'était une sœur, et une sœur me suffisait. Un jour, j'étais appuyé à la fenêtre de la cellule. Quel livre lisais-je donc ? Oh ! tout cela est un tourbillon dans ma tête. Je lisais. La fenêtre donnait sur une place. J'entends un bruit de tambour et de musique. Fâché d'être ainsi troublé dans ma rêverie, je regarde dans la place. Ce que je vis, il y en avait d'autres que moi qui le voyaient, et pourtant ce n'était pas un spectacle fait pour des yeux humains. Là, au milieu du pavé, – il était midi, – au grand soleil, une créature dansait. Ses yeux étaient noirs et splendides, au milieu de sa chevelure noire quelques cheveux que pénétrait le soleil blondissaient comme des fils d'or. Ses pieds disparaissaient dans leur mouvement comme les rayons d'une route qui tourne rapidement. Autour de sa tête, dans ses nattes

213

noires, il y avait des plaques de métal qui pétillaient au soleil et faisaient à son front une couronne d'étoiles. Sa robe semée de paillettes scintillait bleue et piquée de mille étincelles comme une nuit d'été. Ses bras souples et bruns se nouaient et se dénouaient autour de sa taille comme deux écharpes. La forme de son corps était surprenante de beauté. Oh ! la resplendissante figure qui se détachait comme quelque chose de lumineux dans la lumière même du soleil ! – Hélas ! jeune fille, c'était toi. – Surpris, charmé, je me laissai aller à te regarder. Je te regardai tant que tout à coup je frissonnai d'épouvante, je sentis que le sort me saisissait. »

Le prêtre, oppressé, s'arrêta encore un moment. Puis il continua.

« La créature qui était sous mes yeux avait cette beauté surhumaine qui ne peut venir que du ciel ou de l'enfer. Au moment où je pensais cela, je vis près de toi une chèvre, une bête du sabbat, qui me regardait en riant. Le soleil de midi lui faisait des cornes de feu. Alors j'entrevis le piège du démon et je ne doutai plus que tu ne vinsses de l'enfer et que tu n'en vinsses pour ma perdition. Je le crus. »

Ici le prêtre regarda en face la prisonnière et ajouta froidement :

« Je le crois encore. Tout à coup, tu te mis à chanter. Que pouvais-je faire, misérable ? Ton chant était plus charmant encore que ta danse. Je voulus fuir. Impossible. J'étais cloué, j'étais enraciné dans le sol. Il fallut rester jusqu'au bout. Mes pieds étaient de glace, ma tête bouillonnait. Enfin, tu eus peut-être pitié de moi, tu cessas de chanter, tu disparus. »

Il fit une pause, et poursuivit :

« Je te cherchai. Je te revis. Malheur ! Quand je t'eus vue deux fois, je voulus te voir mille, je voulus te voir toujours. Alors, je ne m'appartins plus. Je devins vague et errant comme toi. Je t'attendais sous les porches, je t'épiais au coin des rues, je te guettais du haut de ma tour. Chaque soir, je rentrais en moi-même plus charmé, plus désespéré, plus ensorcelé, plus perdu !

« J'avais su qui tu étais, égyptienne, bohémienne, gitane, zingara, comment douter de la magie ? Écoute. J'espérai qu'un procès me débarrasserait du charme.

« Je te dénonçai donc. C'est alors que je t'épouvantais dans mes rencontres. Le complot que je tramais contre toi, l'orage que j'amoncelais sur ta tête s'échappait de moi en menaces et en éclairs. Cependant j'hésitais encore. Mon projet avait des côtés effroyables qui me faisaient reculer.

« Peut-être y aurais-je renoncé, peut-être ma hideuse pensée se serait-elle desséchée dans mon cerveau sans porter son fruit. Je croyais qu'il dépendrait toujours de moi de suivre ou de rompre ce procès, mais là où je me croyais tout-puissant, la fatalité était plus puissante que moi. Hélas !

« Un jour, – par un autre beau soleil, – je vois passer devant moi un homme qui prononce ton nom et qui rit et qui a la luxure dans les yeux. Damnation ! je l'ai suivi. Tu sais le reste. »

Il se tut.

La jeune fille ne put trouver qu'une parole :

« Ô mon Phœbus ! Va-t'en, monstre ! va-t'en, assassin ! laisse-moi mourir ! Que notre sang à tous deux te fasse au front une tache éternelle ! Être à toi, prêtre ! jamais ! jamais ! Rien ne nous réunira, pas même l'enfer ! Va, maudit ! jamais ! »

Le prêtre avait trébuché à l'escalier. Il dégagea en silence ses pieds des plis de sa robe, reprit sa lanterne et se mit à monter lentement les marches qui menaient à la porte ; il rouvrit cette porte et sortit.

Tout à coup la jeune fille vit reparaître sa tête, elle avait une expression épouvantable et il lui cria avec un râle de rage et de désespoir :

« Je te dis qu'il est mort ! »

Elle tomba la face contre terre ; et l'on n'entendit plus dans le cachot d'autre bruit que le soupir de la goutte d'eau qui faisait palpiter la mare dans les ténèbres.

5

La mère

Je ne crois pas qu'il y ait rien au monde de plus riant que les idées qui s'éveillent dans le cœur d'une mère à la vue du petit soulier de son enfant.

Mais quand l'enfant est perdu le joli soulier brodé n'est plus qu'un instrument de torture qui broie éternellement le cœur de la mère. C'est toujours la même fibre qui vibre, la fibre la plus profonde et la plus sensible ; mais au lieu d'un ange qui la caresse, c'est un démon qui la pince.

Un matin, tandis que le soleil de mai se levait, la recluse de la Tour-Roland entendit un bruit de roues, de chevaux et de ferrailles dans la place de Grève. Elle s'en éveilla un peu, noua ses cheveux sur ses oreilles pour s'assourdir, et se remit à contempler à genoux l'objet inanimé qu'elle adorait ainsi depuis quinze ans. Ce petit soulier, nous l'avons déjà dit, était pour elle l'univers. Sa pensée y était enfermée, et n'en devait plus sortir qu'à la mort. Ce qu'elle avait jeté vers le ciel d'imprécations amères, de plaintes touchantes, de prières et de sanglots, à propos de ce charmant hochet de satin rose, la sombre cave de la Tour-Roland seule l'a su.

Ce matin-là, il semblait que sa douleur s'échappait plus violente encore qu'à l'ordinaire, et on l'entendit du dehors se lamenter avec une voix haute et monotone qui navrait le cœur.

« Ô ma fille ! disait-elle, ma fille ! ma pauvre chère petite enfant ! je ne te verrai donc plus. C'est donc fini ! Il me semble toujours que cela s'est fait hier ! Mon Dieu, mon Dieu, pour me la reprendre si vite, il valait mieux ne pas me la donner. – Ah ! misérable que je suis, d'être sortie ce jour-là ! – Seigneur ! Seigneur ! pour me l'ôter ainsi, vous ne m'aviez donc jamais regardée avec elle, lorsque je la réchauffais toute joyeuse à mon feu, lorsqu'elle me riait en me tétant, lorsque je faisais monter ses petits pieds sur ma poitrine jusqu'à mes lèvres ? Oh ! si vous aviez regardé cela, mon Dieu, vous auriez eu pitié de ma joie, vous ne m'auriez pas ôté le seul amour qui me restât dans le cœur ! Étais-je donc une si misérable créature, Seigneur, que vous ne pussiez me regarder avant de me condamner ? – Hélas ! hélas ! voilà le soulier ; le pied, où est-il ? où est l'enfant ? Ma fille, ma fille ! qu'ont-ils fait de toi ? Seigneur, rendez-la-moi. Mes genoux se sont écorchés quinze ans à vous prier, mon Dieu, est-ce que ce n'est pas assez ? Rendez-la-moi, un jour, une heure, une minute, une minute, Seigneur ! »

En ce moment, de fraîches et joyeuses voix

d'enfants passèrent devant la cellule. Toutes les fois que des enfants frappaient sa vue ou son oreille, la pauvre mère se précipitait dans l'angle le plus sombre de son sépulcre, et l'on eût dit qu'elle cherchait à plonger sa tête dans la pierre pour ne pas les entendre. Cette fois, au contraire, elle se dressa comme en sursaut et écouta avidement. Un des petits garçons venait de dire : « C'est qu'on va pendre une égyptienne aujourd'hui. »

Elle courut à sa lucarne, qui donnait, comme on sait, sur la place de Grève. En effet, une échelle était dressée près du gibet permanent et le maître des basses-œuvres s'occupait d'en rajuster les chaînes rouillées par la pluie. Il y avait quelque peuple alentour.

Le groupe rieur des enfants était déjà loin. La sachette chercha des yeux un passant qu'elle pût interroger. Elle avisa, tout à côté de sa loge, un prêtre qui faisait semblant de lire dans le bréviaire public, mais qui était beaucoup moins occupé du *lettrain de fer treillissé* que du gibet, vers lequel il jetait de temps à autre un sombre et farouche coup d'œil. Elle reconnut monsieur l'archidiacre de Josas, un saint homme.

« Mon père, demanda-t-elle, qui va-t-on pendre là ? »

Le prêtre la regarda et ne répondit pas ; elle répéta sa question. Alors il dit : « Je ne sais pas.

— Il y avait des enfants qui disaient que c'était une égyptienne, reprit la recluse.

— Je crois que oui », dit le prêtre.

Alors Paquette la Chantefleurie éclata d'un rire d'hyène.

« Ma sœur, dit l'archidiacre, vous haïssez donc bien les égyptiennes ?

— Si je les hais ! s'écria la recluse ; ce sont des stryges, des voleuses d'enfants ! Elles m'ont dévoré ma petite fille, mon enfant, mon unique enfant ! »

Elle était effrayante. Le prêtre la regardait froidement.

« Il y en a une surtout que je hais, et que j'ai maudite, reprit-elle ; c'en est une jeune, qui a l'âge que ma fille aurait, si sa mère ne m'avait pas mangé ma fille. Chaque fois que cette jeune vipère passe devant ma cellule, elle me bouleverse le sang !

— Eh bien ! ma sœur, réjouissez-vous, dit le prêtre, glacial comme une statue de sépulcre, c'est celle-là que vous allez voir mourir. »

Sa tête tomba sur sa poitrine, et il s'éloigna lentement.

La recluse se tordit les bras de joie.

« Je le lui avais prédit, qu'elle y monterait ! Merci, prêtre ! » cria-t-elle.

Et elle se mit à se promener à grands pas devant les barreaux de sa lucarne, échevelée, l'œil flamboyant.

6

Trois cœurs d'homme
faits différemment

Phœbus, cependant, n'était pas mort. Les hommes de cette espèce ont la vie dure. Quand maître Philippe Lheulier, avocat extraordinaire du roi, avait dit à la pauvre Esmeralda : *Il se meurt*, c'était par erreur ou par plaisanterie. Quand l'archidiacre avait répété à la condamnée : *Il est mort*, le fait est qu'il n'en savait rien, mais qu'il le croyait, qu'il y comptait, qu'il n'en doutait pas, qu'il l'espérait bien.

Ce n'est pas que la blessure de Phœbus n'eût été grave, mais elle l'avait été moins que l'archidiacre ne s'en flattait. Le maître-mire, chez lequel les soldats du guet l'avaient transporté dans le premier moment, avait craint huit jours pour sa vie. Toutefois, la jeunesse avait repris le dessus. Aussi, un beau matin, se sentant mieux, il avait laissé ses éperons d'or en payement au pharmacopole[1], et s'était esquivé. Cela, du reste, n'avait apporté aucun trouble à l'instruction de l'affaire. La justice d'alors se souciait fort peu de la netteté et de la propreté d'un procès au criminel. Pourvu que l'accusé fût pendu, c'est tout ce qu'il lui fallait. Or, les juges avaient assez de preuves contre la Esmeralda. Ils avaient cru Phœbus mort, et tout avait été dit.

Phœbus, de son côté, n'avait pas fait une grande fuite. Il était allé tout simplement rejoindre sa compagnie, en garnison à Queue-en-Brie, dans l'Île-de-France, à quelques relais de Paris.

Phœbus se mit donc assez promptement l'esprit au repos sur la charmeresse Esmeralda, sur le coup de poignard de la bohémienne ou du moine bourru (peu lui importait), et sur l'issue du procès. Mais, dès que son cœur fut vacant de ce côté, l'image de Fleur-de-Lys y revint.

Donc un beau matin, tout à fait guéri, et présumant bien qu'après deux mois l'affaire de la bohémienne devait être finie et oubliée, l'amoureux cavalier arriva en piaffant à la porte du logis Gondelaurier.

Il ne fit pas attention à une cohue assez nombreuse qui s'amassait dans la place du parvis, devant le portail de Notre-Dame ; il se souvint qu'on était au mois de mai, il supposa quelque procession, attacha son cheval à l'anneau du porche et monta joyeusement chez sa belle fiancée.

Elle était seule avec sa mère.

---

1. Marchand de drogues.

Fleur-de-Lys avait toujours sur le cœur la scène de la sorcière, sa chèvre, son alphabet maudit, et les longues absences de Phœbus. Cependant, quand elle vit entrer son capitaine, elle lui trouva si bonne mine, un hoqueton si neuf, un baudrier si luisant et un air si passionné,qu'elle rougit de plaisir. La noble damoiselle était elle-même plus charmante que jamais. Ses magnifiques cheveux blonds étaient nattés à ravir.

Phœbus fut enivré de Fleur-de-Lys, ce qui donna à notre officier une manière si empressée et si galante que sa paix fut tout de suite faite. Madame de Gondelaurier elle-même, toujours maternellement assise dans son grand fauteuil, n'eut pas la force de le bougonner. Quant aux reproches de Fleur-de-Lys, ils expirèrent en tendres roucoulements.

La jeune fille était assise près de la fenêtre, brodant toujours sa grotte de Neptunus. Le capitaine se tenait appuyé au dossier de sa chaise, et elle lui adressait à demi-voix ses caressantes gronderies.

« Qu'est-ce que vous êtes donc devenu depuis deux grands mois, méchant ?

— Je vous jure, répondit Phœbus, un peu gêné de la question, que vous êtes belle à faire rêver un archevêque. »

Elle ne pouvait s'empêcher de sourire.

« C'est bon, c'est bon, monsieur. Laissez là ma beauté, et répondez-moi. Belle beauté, vraiment !

— Eh bien ! chère cousine, j'ai été rappelé à tenir garnison.

— Et où cela, s'il vous plaît ? et pourquoi n'êtes-vous pas venu me dire adieu ?

— À Queue-en-Brie. »

Phœbus était enchanté que la première question l'aidât à esquiver la seconde.

« Mais c'est tout près, monsieur. Comment n'être pas venu me voir une seule fois ? »

Ici Phœbus fut assez sérieusement embarrassé.

« C'est que... le service... et puis, charmante cousine, j'ai été malade.

— Malade ! reprit-elle, effrayée.

— Oui... blessé.

— Blessé ! »

La pauvre enfant était toute bouleversée.

« Oh ! ne vous effarouchez pas de cela, dit négligemment Phœbus, ce n'est rien. Une querelle, un coup d'épée ; qu'est-ce que cela vous fait ?

— Qu'est-ce que cela me fait ? s'écria Fleur-de-Lys en levant ses beaux yeux pleins de larmes. Oh ! vous ne dites pas ce que vous pensez en disant cela. Qu'est-ce que ce coup d'épée ? Je veux tout savoir.

— Eh bien ! chère belle, j'ai eu noise avec Mahé Fédy, vous savez ? le lieutenant de Saint-Germain-en-Laye, et nous nous sommes décousu chacun quelques pouces de la peau. Voilà tout. »

Le menteur capitaine savait fort bien qu'une affaire d'honneur fait toujours ressortir un homme aux yeux d'une femme. En effet, Fleur-de-Lys le regardait en face tout émue de peur, de plaisir et d'admiration. Elle n'était cependant pas complètement rassurée.

« Pourvu que vous soyez bien tout à fait guéri, mon Phœbus ! dit-elle. Et d'où venait cette querelle ? »

Ici Phœbus, dont l'imagination n'était que fort médiocrement créatrice, commença à ne savoir plus comment se tirer de sa prouesse.

« Oh ! que sais-je ?... un rien, un cheval, un propos ! Belle cousine, s'écria-t-il pour changer de conversation, qu'est-ce que c'est donc que ce bruit dans le parvis ? »

Il s'approcha de la fenêtre.

« Oh ! mon Dieu, belle cousine, voilà bien du monde sur la place !

— Je ne sais pas, dit Fleur-de-Lys ; il paraît qu'il y a une sorcière qui va faire amende honorable ce matin devant l'église pour être pendue après. »

Le capitaine croyait si bien l'affaire de la Esmeralda terminée qu'il s'émut fort peu des paroles de Fleur-de-Lys. Il lui fit cependant une ou deux questions.

« Comment s'appelle cette sorcière ?

— Je ne sais pas, répondit-elle.

— Et que dit-on qu'elle a fait ? »

Elle haussa encore cette fois ses blanches épaules.

« Je ne sais pas. »

La place du Parvis-Notre-Dame, sur laquelle le balcon donnait, comme on sait, présentait en ce moment un spectacle sinistre et singulier qui fit brusquement changer de nature l'effroi de la timide Fleur-de-Lys.

Une foule immense, qui refluait dans toutes les rues adjacentes, encombrait la place proprement dite. La petite muraille à hauteur d'appui qui entourait le parvis n'eût pas suffi à la maintenir libre, si elle n'eût été doublée d'une haie épaisse de sergents des onze-vingts et de haquebutiers, la couleuvrine au poing. Grâce à ce taillis de piques et d'arquebuses, le parvis était vide. L'entrée en était gardée par un gros de hallebardiers aux armes de l'évêque. Les larges portes de l'église étaient fermées, ce qui contrastait avec les innombrables fenêtres de la place, lesquelles, ouvertes jusque sur les pignons, laissaient voir des milliers de têtes entassées à peu près comme des piles de boulets dans un parc d'artillerie.

La surface de cette cohue était grise, sale et terreuse. Le spectacle qu'elle attendait était évidemment de ceux qui ont le privilège d'extraire et d'appeler ce qu'il y a de plus immonde dans la population. Dans cette foule, il y avait plus de rires que de cris, plus de femmes que d'hommes.

De temps en temps quelque voix aigre et vibrante perçait la rumeur générale.

« Dites donc, la Boucanbry ? est-il vrai qu'elle ait refusé un confesseur ?

— Il paraît que oui, la Bechaigne.

— Voyez-vous, la païenne ! »

« Oh ! mon Dieu ! disait Fleur-de-Lys, la pauvre créature ! »

Cette pensée remplissait de douleur le regard qu'elle promenait sur la populace.

En ce moment, midi sonna lentement à l'horloge de Notre-Dame. Un murmure de satisfaction éclata dans la foule. La dernière vibration du douzième coup s'éteignait à peine que toutes les têtes moutonnèrent comme les vagues sous un coup de vent, et qu'une immense clameur s'éleva du pavé, des fenêtres et des toits : « La voilà ! »

Fleur-de-Lys mit ses mains sur ses yeux pour ne pas voir.

« Charmante, lui dit Phœbus, voulez-vous rentrer ?

— Non », répondit-elle ; et ces yeux qu'elle venait de fermer par crainte, elle les rouvrit par curiosité.

Un tombereau, traîné d'un fort limonier normand et tout enveloppé de cavalerie en livrée violette à croix blanches, venait de déboucher sur la place par la rue Saint-Pierre-aux-Bœufs. Les sergents du guet lui frayaient passage dans le peuple à grands coups de boullayes. À côté du tombereau chevauchaient quelques officiers de justice et de police, reconnaissables à leur costume noir et à leur gauche façon de se tenir en selle. Maître Jacques Charmolue paradait à leur tête.

Dans la fatale voiture, une jeune fille était assise, les bras liés derrière le dos, sans prêtre à côté d'elle. Elle était en chemise, ses longs cheveux noirs (la mode alors était de ne les couper qu'au pied du gibet) tombaient épars sur sa gorge et sur ses épaules à demi découvertes.

À travers cette ondoyante chevelure, on voyait se tordre et se nouer une grosse corde grise et rugueuse qui écorchait ses fragiles clavicules et se roulait autour du cou charmant de la pauvre fille comme un ver de terre sur une fleur. Sous cette corde brillait une petite amulette ornée de verroteries vertes qu'on lui avait laissée sans doute parce qu'on ne refuse plus rien à ceux qui vont mourir. À ses pieds il y avait une petite chèvre garrottée. La condamnée retenait avec ses dents sa chemise mal attachée. On eût dit qu'elle souffrait encore dans sa misère d'être ainsi livrée presque nue à tous les yeux.

« Jésus ! dit vivement Fleur-de-Lys au capitaine. Regardez donc, beau cousin ! c'est cette vilaine bohémienne à la chèvre ! »

En parlant ainsi, elle se retourna vers Phœbus. Il avait les yeux fixés sur le tombereau. Il était très pâle.

« Quelle bohémienne à la chèvre ? dit-il en balbutiant.

— Comment ! reprit Fleur-de-Lys ; est-ce que vous ne vous souvenez pas ?... »

Phœbus l'interrompit.

« Je ne sais pas ce que vous voulez dire. »

Il fit un pas pour rentrer. Mais Fleur-de-Lys, dont la jalousie, naguère si vivement remuée par cette même égyptienne, venait de se réveiller, Fleur-de-Lys lui jeta un coup d'œil plein de pénétration et de défiance. Elle se rappelait vaguement en ce moment avoir ouï parler d'un capitaine mêlé au procès de cette sorcière.

« Qu'avez-vous ? dit-elle à Phœbus, on dirait que cette femme vous a troublé. »

Phœbus s'efforça de ricaner.

« Moi ! pas le moins du monde ! Ah ! bien oui !

— Alors restez, reprit-elle impérieusement, et voyons jusqu'à la fin. »

Force fut au malencontreux capitaine de demeurer. Ce qui le rassurait un peu, c'est que la condamnée ne détachait pas son regard du plancher de son tombereau. Ce n'était que trop véritablement la Esmeralda.

Son corps rebondissait à tous les cahots du tombereau comme une chose morte ou brisée. Son regard était morne et fou. On voyait encore une larme dans sa prunelle, mais immobile et, pour ainsi dire, gelée.

Cependant la lugubre cavalcade avait traversé la foule au milieu des cris de joie et des attitudes curieuses. Nous devons dire toutefois, pour être fidèle historien, qu'en la voyant si belle et si accablée, beaucoup s'étaient émus de pitié, et des plus durs.

Le tombereau était entré dans le Parvis.

Devant le portail central, il s'arrêta. L'escorte se rangea en bataille des deux côtés. La foule fit silence, et au milieu de ce silence plein de solennité et d'anxiété les deux battants de la grande porte tournèrent, comme d'eux-mêmes, sur leurs gonds qui grincèrent avec un bruit de fifre. Alors on vit dans toute sa longueur la profonde église, sombre, tendue de deuil, à peine éclairée de quelques cierges scintillant au loin sur le maître-autel, ouverte comme une gueule de caverne au milieu de la place éblouissante de lumière. Tout au fond, dans l'ombre de l'abside, on entrevoyait une gigantesque croix d'argent, développée sur un drap noir qui tombait de la voûte au pavé. Au moment où la grande porte s'ouvrit il s'échappa de l'église un chant grave, éclatant et monotone : c'était la messe des morts.

Le peuple écoutait avec recueillement.

La malheureuse, effarée, semblait perdre sa vue et sa pensée dans les obscures entrailles de l'église. Ses lèvres blanches remuaient comme si elles priaient, et quand le valet du bourreau s'approcha d'elle pour l'aider à descendre du tombereau, il l'entendit qui répétait à voix basse ce mot : *Phœbus*.

On lui délia les mains, on la fit descendre accompagnée de sa chèvre qu'on avait déliée aussi, et qui bêlait de joie de se sentir libre, et on la fit marcher pieds nus sur le dur pavé jusqu'au bas des marches du portail. La corde qu'elle avait au cou traînait derrière elle. On eût dit un serpent qui la suivait.

Alors le chant s'interrompit dans l'église. Une grande croix d'or et une file de cierges se mirent en mouvement dans l'ombre. On entendit sonner la hallebarde des suisses[1] bariolés, et quelques moments après une longue procession de prêtres en chasubles et de diacres en dalmatiques[2], qui venait gravement et en psalmodiant vers la condamnée, se développa à sa vue et aux yeux de la foule.

L'archidiacre s'approcha d'elle lentement. Puis il lui dit à haute voix : « Jeune fille, avez-vous demandé à Dieu pardon de vos fautes et de vos manquements ? »

Elle le regarda fixement :

« Qu'as-tu fait de mon Phœbus ?

— Il est mort », dit le prêtre.

Alors, levant la main sur l'égyptienne, il s'écria d'une voix funèbre : « *I nunc, anima anceps, et sit tibi Deus misericors !*[3] »

C'était la redoutable formule dont on avait coutume de clore ces sombres cérémonies. C'était le signal convenu du prêtre au bourreau.

La malheureuse, au moment de remonter dans le tombereau fatal et de s'acheminer vers sa dernière station, fut prise peut-être de quelque déchirant regret de la vie. Elle leva ses yeux rouges et secs vers le ciel, vers le soleil, puis elle les abaissa autour d'elle, sur la

---

1. Compagnie de soldats venus de Suisse, d'où leur nom.

2. Tunique à manches amples et courtes, en laine de Dalmatie.

3. « Va, maintenant, âme incertaine, et que Dieu te soit miséricordieux ! » (en latin).

terre, sur la foule, sur les maisons. Tout à coup, tandis que l'homme jaune lui liait les coudes, elle poussa un cri terrible, un cri de joie. À ce balcon, là-bas, à l'angle de la place, elle venait de l'apercevoir, lui, son ami, son seigneur, Phœbus !

Le juge avait menti ! le prêtre avait menti ! c'était bien lui, elle n'en pouvait douter, il était là, beau, vivant, revêtu de son éclatante livrée, la plume en tête, l'épée au côté !

« Phœbus, cria-t-elle, mon Phœbus ! »

Et elle voulut tendre vers lui ses bras tremblants d'amour et de ravissement, mais ils étaient attachés.

Alors elle vit le capitaine froncer le sourcil, une belle jeune fille qui s'appuyait sur lui le regarder avec une lèvre dédaigneuse et des yeux irrités, puis Phœbus prononça quelques mots qui ne vinrent pas jusqu'à elle, et tous deux s'éclipsèrent précipitamment derrière le vitrail du balcon qui se referma.

« Phœbus ! cria-t-elle éperdue, est-ce que tu le crois ? »

Une pensée monstrueuse venait de lui apparaître. Elle se souvenait qu'elle avait été condamnée pour meurtre sur la personne de Phœbus de Châteaupers.

Elle avait tout supporté jusque-là. Mais ce dernier coup était trop rude. Elle tomba sans mouvement sur le pavé.

« Allons, dit Charmolue, portez-la dans le tombereau, et finissons ! »

Personne n'avait encore remarqué, dans la galerie des statues des rois, sculptés immédiatement au-dessus des ogives du portail, un spectateur étrange qui avait tout examiné jusqu'alors avec une telle impassibilité, avec un cou si tendu, avec un visage si difforme, que, sans son accoutrement mi-parti rouge et violet, on eût pu le prendre pour un de ces monstres de pierre par la gueule desquels se dégorgent depuis six cents ans les longues gouttières de la cathédrale. Ce spectateur n'avait rien perdu de ce qui s'était passé depuis midi devant le portail de Notre-Dame. Et dès les premiers instants, sans que personne songeât à l'observer, il avait fortement attaché à l'une des colonnettes de la galerie une grosse corde à nœuds, dont le bout allait traîner en bas sur le perron. Cela fait, il s'était mis à regarder tranquillement, et à siffler de temps en temps quand un merle passait devant lui.

Tout à coup, au moment où les valets du maître des œuvres se disposaient à exécuter l'ordre flegmatique de Charmolue, il enjamba la balustrade de la galerie, saisit la corde des pieds, des genoux et des mains, puis on le vit couler sur la façade, comme une goutte de pluie qui glisse le long d'une vitre, courir vers les deux bourreaux avec la vitesse d'un chat tombé d'un toit, les terrasser sous deux poings énormes, enlever l'égyptienne d'une main, comme un enfant sa poupée, et d'un seul élan rebondir jusque dans l'église, en élevant la jeune fille au-dessus de sa tête, et en criant d'une voix formidable : « Asile !

— Asile ! asile ! » répéta la foule ; et dix mille battements de mains firent étinceler de joie et de fierté l'œil unique de Quasimodo. '

Cette secousse fit revenir à elle la condamnée. Elle souleva sa paupière, regarda Quasimodo, puis la referma subitement, comme épouvantée de son sauveur.

Charmolue resta stupéfait, et les bourreaux, et toute l'escorte. En effet, dans l'enceinte de Notre-Dame, la condamnée était inviolable. La cathédrale était un lieu de refuge. Toute justice humaine expirait sur le seuil.

LIVRE SEPTIÈME

1

Fièvre

Claude Frollo n'était plus dans Notre-Dame pendant que son fils adoptif tranchait si brusquement le nœud fatal où le malheureux archidiacre avait pris l'égyptienne et s'était pris lui-même. Rentré dans la sacristie, il avait arraché l'aube, la chape et l'étole, avait tout jeté aux mains du bedeau stupéfait, s'était échappé par la porte dérobée du cloître, avait ordonné à un batelier du Terrain de le transporter sur la rive gauche de la Seine et s'était enfoncé dans les rues montueuses de l'Université, ne sachant où il allait, rencontrant à chaque pas des bandes d'hommes et de femmes qui se pressaient joyeusement vers le pont Saint-Michel dans l'espoir *d'arriver encore à temps* pour voir pendre la sorcière. Il ne savait plus où il était, ce qu'il pensait, s'il rêvait. Il allait, marchait, il courait, prenant toute rue au hasard, ne choisissant pas, seulement poussé en avant par la Grève, par l'horrible Grève qu'il sentait confusément derrière lui.

Il longea ainsi la montagne Sainte-Geneviève, et sortit enfin de la ville par la porte Saint-Victor. Il continua de s'enfuir, tant qu'il put voir en se retournant l'enceinte de tours de l'Université et les rares maisons du faubourg ; mais lorsque enfin un pli du terrain lui eut dérobé en entier cet odieux Paris, quand il put s'en croire à cent lieues, dans les champs, dans un désert, il s'arrêta et il lui sembla qu'il respirait.

Il revit clair dans son âme et frissonna. Il songea à cette malheureuse fille qui l'avait perdu et qu'il avait perdue.

« Oh ! elle ! c'est elle ! » c'est cette idée fixe qui revenait sans cesse, qui le torturait, qui lui mordait la cervelle et lui déchiquetait les entrailles. Il ne regrettait pas, il ne se repentait pas ; tout ce qu'il avait fait, il était prêt à le faire encore ; il aimait mieux la voir aux mains du bourreau qu'aux bras du capitaine, mais il souffrait. Il recommença à fuir.

Il courut ainsi à travers champs jusqu'au soir. Cette fuite de la nature, de la vie, de lui-même, de l'homme, de Dieu, de tout, dura tout le jour.

Vers l'heure où le soleil déclinait, il s'examina de nouveau, et il se trouva presque fou. Il n'avait plus que deux images distinctes dans l'esprit, la Esmeralda et la potence. Tout le reste était noir.

Cependant le jour continuait de baisser. L'être vivant qui existait encore en lui songea confusément au retour. Il se croyait loin de Paris, mais en s'orientant, il s'aperçut qu'il n'avait fait que tourner l'enceinte de l'Université. La flèche de Saint-Sulpice et le trois hautes aiguilles de Saint-Germain-des-Prés dépassaient l'horizon à sa droite. Il se dirigea de ce côté.

Quand il rentra dans les rues, les passants qui se coudoyaient aux lueurs des devantures de boutiques lui faisaient l'effet d'une éternelle allée et venue de spectres autour de lui.

À l'instant où il arriva tout haletant sur la place du Parvis, il recula et n'osa lever les yeux sur le funeste édifice.

« Oh ! dit-il à voix basse, est-il donc bien vrai qu'une telle chose se soit passée ici, aujourd'hui, ce matin même ! »

Cependant il se hasarda à regarder l'église. La façade était sombre.

La porte du cloître était fermée. Mais l'archidiacre avait toujours sur lui la clef de la tour où était son laboratoire. Il s'en servit pour pénétrer dans l'église.

2

Bossu, borgne, boiteux

Toute ville en France au Moyen Âge, et, jusqu'à Louis XII, avait ses lieux d'asile. Ces lieux d'asile, au milieu du déluge de lois pénales et de juridictions barbares qui inondaient la cité, étaient des espèces d'îles qui s'élevaient au-dessus du niveau de la justice humaine. Tout criminel qui y abordait était sauvé ; mais il fallait qu'il se gardât d'en sortir. Un pas hors du sanctuaire, il retombait dans le flot. La roue, le gibet, l'estrapade[1] faisaient bonne garde autour du lieu de refuge et guettaient sans cesse leur proie comme les requins autour du vaisseau. On a vu des condamnés qui blanchissaient ainsi dans un cloître, sur l'escalier d'un palais, dans la culture d'une abbaye, sous un porche d'église ; de cette façon l'asile était une prison comme une autre.

---

1. On précipitait le supplicié ficelé dans le vide.

Les églises avaient d'ordinaire une logette préparée pour recevoir les suppliants. À Notre-Dame, c'était une cellule établie sur les combles des bas-côtés sous les arcs-boutants, en regard du cloître.

C'est là qu'après sa course effrénée et triomphale sur les tours et les galeries, Quasimodo avait déposé la Esmeralda. Tant que cette course avait duré, la jeune fille n'avait pu reprendre ses sens, à demi assoupie, à demi éveillée, ne sentant plus rien, sinon qu'elle montait dans l'air, qu'elle y flottait, qu'elle y volait, que quelque chose l'enlevait au-dessus de la terre. Mais quand le sonneur de cloches échevelé et haletant l'eut déposée dans la cellule du refuge, quand elle sentit ses grosses mains détacher doucement la corde qui lui meurtrissait les bras, elle éprouva cette espèce de secousse qui réveille en sursaut les passagers d'un navire qui touche au milieu d'une nuit obscure. Ses pensées se réveillèrent aussi et lui revinrent une à une. Elle vit qu'elle était dans Notre-Dame, elle se souvint d'avoir été arrachée des mains du bourreau, que Phœbus était vivant, que Phœbus ne l'aimait plus ; et ces deux idées, dont l'une répandait tant d'amertume sur l'autre, se présentant ensemble à la pauvre condamnée, elle se tourna vers Quasimodo qui se tenait debout devant elle, et qui lui faisait peur. Elle lui dit : « Pourquoi m'avez-vous sauvée ? »

Il la regarda avec anxiété comme cherchant à deviner ce qu'elle lui disait. Elle répéta sa question. Alors il lui jeta un coup d'œil profondément triste et s'enfuit.

Elle resta étonnée.

Quelques moments après il revint, apportant un paquet qu'il jeta à ses pieds. C'étaient des vêtements que des femmes charitables avaient déposés pour elle au seuil de l'église. Alors elle abaissa ses yeux sur elle-même, se vit presque nue et rougit. La vie revenait.

Quasimodo parut éprouver quelque chose de cette pudeur. Il voila son regard de sa large main et s'éloigna encore une fois, mais à pas lents.

Elle se hâta de se vêtir. C'était une robe blanche avec un voile blanc. Un habit de novice de l'Hôtel-Dieu.

Elle achevait à peine qu'elle vit revenir Quasimodo. Il portait un panier sous un bras et un matelas sous l'autre. Il y avait dans le panier une bouteille, du pain et quelques provisions. Il posa le panier à terre et dit : « Mangez. » Il étendit le matelas sur la dalle et dit : « Dormez. »

C'était son propre repas, c'était son propre lit que le sonneur de cloches avait été chercher.

L'égyptienne leva les yeux sur lui pour le remercier ; mais elle ne put articuler un mot. Le pauvre diable était vraiment horrible. Elle baissa la tête avec un tressaillement d'effroi.

Alors il lui dit :

« Je vous fais peur. Je suis bien laid, n'est-ce pas ? Ne me regardez point. Écoutez-moi seulement. Le jour, vous resterez ici ; la nuit, vous pouvez vous promener par toute l'église. Mais ne sortez de l'église ni jour ni nuit. Vous seriez perdue. On vous tuerait et je mourrais. »

Émue, elle leva la tête pour lui répondre. Il avait disparu. Elle se retrouva seule, rêvant aux paroles singulières de cet être presque monstrueux et frappée du son de sa voix qui était si rauque et pourtant si douce.

Puis, elle examina sa cellule. C'était une chambre de quelque six pieds carrés, avec une petite lucarne et une porte sur le plan légèrement incliné du toit en pierres plates. Plusieurs gouttières à figures d'animaux semblaient se pencher autour d'elle et tendre le cou pour la voir par la lucarne.

Au moment où la pensée de son isolement lui apparaissait, plus poignante que jamais, elle sentit une tête velue et barbue se glisser dans ses mains, sur ses genoux. Elle tressaillit (tout l'effrayait maintenant), et regarda. C'était la pauvre chèvre, l'agile Djali, qui s'était échappée à sa suite, au moment où Quasimodo avait dispersé la brigade de Charmolue, et qui se répandait en caresses à ses pieds depuis près d'une heure, sans pouvoir obtenir un regard. L'égyptienne la couvrit de baisers. « Oh ! Djali, disait-elle, comme je t'ai oubliée ! Tu songes donc toujours à moi ! Oh ! tu n'es pas ingrate, toi ! »

En même temps, comme si une main invisible eût soulevé le poids qui comprimait ses larmes dans son cœur depuis si longtemps, elle se mit à pleurer ; et, à mesure que ses larmes coulaient, elle sentait s'en aller avec elles ce qu'il y avait de plus âcre et de plus amer dans sa douleur.

Le soir venu, elle trouva la nuit si belle, la lune si douce, qu'elle fit le tour de la galerie élevée qui enveloppe l'église. Elle en éprouva quelque soulagement, tant la terre lui parut calme, vue de cette hauteur.

3

Sourd

Le lendemain matin, elle s'aperçut en s'éveillant qu'elle avait dormi. Cette chose singulière l'étonna. Il y avait si longtemps qu'elle était déshabituée du sommeil ! Un joyeux rayon de soleil levant entrait par sa lucarne et lui venait frapper le visage. En même temps que le soleil, elle vit à cette lucarne un objet qui l'effraya, la malheureuse figure de Quasimodo. Involontairement elle referma les yeux, mais en vain ; elle croyait toujours voir à travers sa paupière rose ce masque de gnome, borgne et brèche-dent. Alors, tenant toujours ses yeux fermés, elle entendit une rude voix qui disait très doucement :

« N'ayez pas peur. Je suis votre ami. J'étais venu vous voir dormir. Cela ne vous fait pas de mal, n'est-ce pas, que je vienne vous voir dormir ? Qu'est-ce que cela vous fait que je sois là quand vous avez les yeux fermés ? Maintenant je vais m'en aller. Tenez, je me suis mis derrière le mur. Vous pouvez rouvrir les yeux. »

Il y avait quelque chose de plus plaintif encore que ces paroles, c'était l'accent dont elles étaient prononcées. L'égyptienne, touchée, ouvrit les yeux. Il n'était plus en effet à la lucarne. Elle alla à cette lucarne et vit le pauvre bossu blotti à un angle de mur, dans une attitude douloureuse et résignée. Elle fit un effort pour surmonter la répugnance qu'il lui inspirait. « Venez », lui dit-elle doucement Au mouvement des lèvres de l'égyptienne, Quasimodo crut qu'elle le chassait ; alors il se leva et se retira en boitant, lentement, la tête baissée, sans même oser lever sur la jeune fille son regard plein de désespoir. « Venez donc ! » cria-t-elle. Mais il continuait de s'éloigner. Alors elle se jeta hors de sa cellule, courut à lui et lui prit le bras. En se sentant touché par elle, Quasimodo trembla de tous ses membres. Il releva son œil suppliant et, voyant qu'elle le ramenait près d'elle, toute sa face rayonna de joie et de tendresse. Elle voulut le faire entrer dans sa cellule, mais il s'obstina à rester sur le seuil. « Non, non, dit-il, le hibou n'entre pas dans le nid de l'alouette. »

Alors elle s'accroupit gracieusement sur sa couchette avec sa chèvre endormie à ses pieds. Tous deux restèrent quelques instants immobiles, considérant en silence, lui tant de grâce, elle tant de laideur. À chaque moment, elle découvrait en Quasimodo quelque difformité de plus. Son regard se promenait des genoux cagneux au dos bossu, du dos bossu à l'œil unique. Elle ne pouvait comprendre qu'un être si gauchement ébauché existât. Cependant il y avait sur tout cela tant de tristesse et de douceur répandue qu'elle commençait à s'y faire.

Il rompit le premier ce silence. « Vous me disiez donc de revenir ? »

Elle fit un signe de tête affirmatif, en disant : « Oui. »

Il comprit le signe de tête. « Hélas ! dit-il comme hésitant à achever, c'est que... je suis sourd.

— Pauvre homme ! » s'écria la bohémienne avec une expression de bienveillante pitié.

Il se mit à sourire douloureusement.

« Vous trouvez qu'il ne me manquait que cela, n'est-ce pas ? Oui, je suis sourd. C'est comme cela que je suis fait. C'est horrible, n'est-il pas vrai ? Vous êtes si belle, vous ! »

Il y avait dans l'accent du misérable un sentiment si profond de sa misère qu'elle n'eut pas la force de dire une parole. D'ailleurs il ne l'aurait pas entendue. Il poursuivit.

« Jamais je n'ai vu ma laideur comme à présent. Quand je me compare à vous, j'ai bien pitié de moi, pauvre malheureux monstre que je suis ! Je dois vous faire l'effet d'une bête, dites. Vous, vous êtes un rayon de soleil, une goutte de rosée, un chant d'oiseau ! Moi, je suis quelque chose d'affreux, ni homme, ni animal, un je ne sais quoi plus dur, plus foulé aux pieds et plus difforme qu'un caillou ! »

Alors il se mit à rire, et ce rire était ce qu'il y a de plus déchirant au monde. Il continua :

« Oui, je suis sourd. Mais vous me parlerez par gestes, par signes. J'ai un maître qui cause avec moi de cette façon. Et puis je saurai bien vite votre volonté au mouvement de vos lèvres, à votre regard.

— Eh bien ! reprit-elle en souriant, dites-moi pourquoi vous m'avez sauvée. »

Il la regarda attentivement tandis qu'elle parlait.

« J'ai compris, répondit-il. Vous me demandez pourquoi je vous ai sauvée. Vous avez oublié un misérable qui a tenté de vous enlever une nuit, un misérable à qui le lendemain même vous avez porté secours sur leur infâme pilori. Une goutte d'eau et un peu de pitié, voilà plus que je n'en payerai avec ma vie. Vous avez oublié ce misérable ; lui, il s'est souvenu. »

Elle l'écoutait avec un attendrissement profond. Une larme roulait dans l'œil du sonneur, mais elle n'en tomba pas. Il parut mettre une sorte de point d'honneur à la dévorer.

« Écoutez, reprit-il quand il ne craignit plus que cette larme s'échappât, nous avons là des tours bien hautes, un homme qui en tomberait serait mort avant de toucher le pavé ; quand il vous plaira que j'en tombe, vous n'aurez pas même un mot à dire, un coup d'œil suffira. »

Alors il se leva. Cet être bizarre, si malheureuse que fût la bohémienne, éveillait encore quelque compassion en elle. Elle lui fit signe de rester.

« Non, non, dit-il. Je ne dois pas rester trop longtemps. Je ne suis pas à mon aise quand vous me regardez. C'est par pitié que vous ne détournez pas les yeux. »

Il tira de sa poche un petit sifflet de métal.

« Tenez, dit-il, quand vous aurez besoin de moi, quand vous voudrez que je vienne, quand vous n'aurez pas trop d'horreur à me voir, vous sifflerez avec ceci. J'entends ce bruit-là. »

Il déposa le sifflet à terre et s'enfuit.

4

Grès et cristal

Les jours se succédèrent.

Le calme revenait peu à peu dans l'âme de la Esmeralda.

Elle sentait s'éloigner peu à peu les images terribles qui l'avaient si longtemps obsédée.

Et puis, Phœbus vivait, elle en était sûre, elle l'avait vu. La vie de Phœbus, c'était tout. Après la série de secousses fatales qui avaient tout fait écrouler en elle, elle n'avait retrouvé debout dans son âme qu'une chose, qu'un sentiment, son amour pour le capitaine.

Aussi chaque soleil levant la trouvait plus apaisée, respirant mieux, moins pâle. À mesure que ses plaies intérieures se fermaient, sa grâce et sa beauté refleurissaient sur son visage, mais plus recueillies et plus reposées. Son ancien caractère lui revenait aussi, quelque chose même de sa gaieté, sa jolie moue, son amour de sa chèvre, son goût de chanter, sa pudeur. Elle avait soin de s'habiller le matin dans l'angle de sa logette, de peur que quelque habitant des greniers voisins ne la vît par la lucarne.

Quand la pensée de Phœbus lui en laissait le temps, l'égyptienne songeait quelquefois à Quasimodo. C'était le seul lien, le seul rapport, la seule communication qui lui restât avec les hommes, avec les vivants. La malheureuse ! elle était plus hors du monde que Quasimodo ! Elle ne comprenait rien à l'étrange ami que le hasard lui avait donné. Souvent elle se reprochait de ne pas avoir une reconnaissance qui fermât les yeux, mais décidément elle ne pouvait s'accoutumer au pauvre sonneur. Il était trop laid.

Elle avait laissé à terre le sifflet qu'il lui avait donné. Cela n'empêcha pas Quasimodo de reparaître de temps en temps les premiers jours. Elle faisait son possible pour ne pas se détourner avec trop de répugnance quand il venait lui apporter le panier de provisions ou la cruche d'eau, mais il s'apercevait toujours du moindre mouvement de ce genre, et alors il s'en allait tristement.

Une fois, il survint au moment où elle caressait Djali. Il resta quelques moments pensif devant ce groupe gracieux de la chèvre et de l'égyptienne. Enfin, il dit en secouant sa tête lourde et mal faite :

« Mon malheur, c'est que je ressemble encore trop à l'homme. Je voudrais être tout à fait une bête comme cette chèvre. »

Elle leva sur lui un regard étonné.

Il répondit à ce regard : « Oh ! je sais bien pourquoi. » Et il s'en alla.

Une autre fois, il se présenta à la porte de la cellule

(où il n'entrait jamais) au moment où la Esmeralda chantait une vieille ballade espagnole dont elle ne comprenait pas les paroles, mais qui était restée dans son oreille parce que les bohémiennes l'en avaient bercée tout enfant. À la vue de cette vilaine figure qui survenait brusquement au milieu de sa chanson, la jeune fille s'interrompit avec un geste d'effroi involontaire. Le malheureux sonneur tomba à genoux sur le seuil de la porte et joignit d'un air suppliant ses grosses mains informes. « Oh ! dit-il douloureusement, je vous en conjure, continuez et ne me chassez pas. » Elle ne voulut pas l'affliger, et, toute tremblante, reprit sa romance. Par degrés cependant son effroi se dissipa, et elle se laissa aller tout entière à l'impression de l'air mélancolique et traînant qu'elle chantait. Lui, était resté à genoux, les mains jointes, comme en prière, attentif, respirant à peine, son regard fixé sur les prunelles brillantes de la bohémienne. On eût dit qu'il entendait sa chanson dans ses yeux.

Un jour enfin, un matin, la Esmeralda s'était avancée jusqu'au bord du toit et regardait dans la place par-dessus la toiture aiguë de Saint-Jean-le-Rond. Quasimodo était là, derrière elle. Il se plaçait ainsi de lui-même, afin d'épargner le plus possible à la jeune fille le déplaisir de le voir. Tout à coup la bohémienne tressaillit, une larme et un éclair de joie brillèrent à la fois dans ses yeux, elle s'agenouilla au bord du toit et tendit ses bras avec angoisse vers la place en criant : « Phœbus ! viens ! viens ! un mot, un seul mot, au nom du ciel ! Phœbus ! Phœbus ! » Sa voix, son visage, son geste, toute sa personne avaient l'expression déchirante d'un naufragé qui fait le signal de détresse au joyeux navire qui passe au loin dans un rayon de soleil à l'horizon.

Quasimodo se pencha sur la place et vit que l'objet de cette tendre et délirante prière était un jeune homme, un capitaine, un beau cavalier tout reluisant d'armes et de parures, qui passait en caracolant au fond de la place et saluait du panache une belle dame souriante à son balcon. Du reste, l'officier n'entendait pas la malheureuse qui l'appelait. Il était trop loin.

Mais le pauvre sourd entendait, lui. Un soupir profond souleva sa poitrine. Il se retourna.

L'égyptienne ne faisait aucune attention à lui. Elle était restée à genoux et criait avec une agitation extraordinaire :

« Oh ! le voilà qui descend de cheval ! Il va entrer dans cette maison ! Phœbus ! Il ne m'entend pas ! Phœbus ! Que cette femme est méchante de lui parler en même temps que moi ! Phœbus ! Phœbus ! »

Le sourd la regardait. Il comprenait cette pantomime. L'œil du pauvre sonneur se remplissait de larmes, mais il n'en laissait couler aucune. Tout à coup il la tira doucement par le bord de sa manche. Elle se retourna. Il avait pris un air tranquille. Il lui dit :

« Voulez-vous que je vous l'aille chercher ?

Elle poussa un cri de joie. « Oh ! va ! allez ! cours ! vite ! ce capitaine ! ce capitaine ! amenez-le-moi ! je t'aimerai !

— Je vais vous l'amener », dit-il d'une voix faible. Puis il tourna la tête et se précipita à grands pas sous l'escalier, étouffé de sanglots.

Quand il arriva sur la place, il ne vit plus rien que

le beau cheval attaché à la porte du logis Gondelaurier. Le capitaine venait d'y entrer.

Il leva son regard vers le toit de l'église. La Esmeralda y était toujours à la même place, dans la même posture. Il lui fit un triste signe de tête. Puis il s'adossa à l'une des bornes du porche Gondelaurier, déterminé à attendre que le capitaine sortît.

C'était, dans le logis Gondelaurier, un de ces jours de gala qui précèdent les noces. Quasimodo vit entrer beaucoup de monde et ne vit sortir personne. De temps en temps, il regardait vers le toit. L'égyptienne ne bougeait pas plus que lui. Un palefrenier vint détacher le cheval, et le fit entrer à l'écurie du logis.

La journée entière se passa ainsi, Quasimodo sur la borne, la Esmeralda sur le toit, Phœbus sans doute aux pieds de Fleur-de-Lys.

Enfin la nuit vint ; une nuit sans lune, une nuit obscure. Quasimodo eut beau fixer son regard sur la Esmeralda. Bientôt ce ne fut plus qu'une blancheur dans le crépuscule ; puis rien. Tout s'effaça, tout était noir.

Quasimodo vit s'illuminer du haut en bas de la façade les fenêtres du logis Gondelaurier. Il vit s'allumer l'une après l'autre les autres croisées de la place ; il les vit aussi s'éteindre jusqu'à la dernière. Car il resta toute la soirée à son poste. L'officier ne sortait pas. Quand les derniers passants furent rentrés chez eux, quand toutes les croisées des autres maisons furent éteintes, Quasimodo demeura tout à fait seul, tout à fait dans l'ombre. Il n'y avait pas alors de luminaire dans le parvis de Notre-Dame.

Cependant les fenêtres du logis Gondelaurier

étaient restées éclairées, même après minuit. Quasimodo, immobile et attentif, voyait passer sur les vitraux de mille couleurs une foule d'ombres vives et dansantes. S'il n'eût pas été sourd, à mesure que la rumeur de Paris endormi s'éteignait, il eût entendu de plus en plus distinctement, dans l'intérieur du logis Gondelaurier, un bruit de fête, de rires et de musiques.

Vers une heure du matin, les conviés commencèrent à se retirer. Quasimodo, enveloppé de ténèbres, les regardait tous passer sous le porche éclairé de flambeaux. Aucun n'était le capitaine.

Il était plein de pensées tristes. Dans un de ces moments, il vit tout à coup s'ouvrir mystérieusement la porte-fenêtre du balcon dont la balustrade de pierre se découpait au-dessus de sa tête. La frêle porte de vitre donna passage à deux personnes derrière lesquelles elle se referma sans bruit. C'était un homme et une femme. Ce ne fut pas sans peine que Quasimodo parvint à reconnaître dans l'homme le beau capitaine, dans la femme la jeune dame qu'il avait vue le matin souhaiter la bienvenue à l'officier, du haut de ce même balcon. La place était parfaitement obscure, et un double rideau cramoisi qui était retombé derrière la porte au moment où elle s'était refermée ne laissait guère arriver sur le balcon la lumière de l'appartement.

Le jeune homme et la jeune fille, autant qu'en pouvait juger notre sourd qui n'entendait pas une de leurs paroles, paraissaient s'abandonner à un fort tendre tête-à-tête. La jeune fille semblait avoir permis à l'officier de lui faire une ceinture de son bras et résistait doucement à un baiser.

Quasimodo assistait d'en bas à cette scène d'autant plus gracieuse à voir qu'elle n'était pas faite pour être vue. Il contemplait ce bonheur, cette beauté avec amertume. Après tout, la nature n'était pas muette chez le pauvre diable. Il songeait à la misérable part que la Providence lui avait faite, que l'amour lui passerait éternellement sous les yeux, et qu'il ne ferait jamais que voir la félicité des autres. Mais ce qui le déchirait le plus dans ce spectacle, c'était de penser à ce que devait souffrir l'égyptienne si elle voyait. Il est vrai que la nuit était bien noire, que la Esmeralda, si elle était restée à sa place (et il n'en doutait pas), était fort loin, et que c'était tout au plus s'il pouvait distinguer lui-même les amoureux du balcon. Cela le consolait.

Heureusement, la porte du balcon se rouvrit, une vieille dame parut, et tous trois rentrèrent.

Un moment après, un cheval piaffa sous le porche et le brillant officier, enveloppé de son manteau de nuit, passa rapidement devant Quasimodo.

Le sonneur lui laissa doubler l'angle de la rue, puis il se mit à courir après lui avec son agilité de singe, en criant : « Hé ! le capitaine ! »

Le capitaine s'arrêta.

« Que me veut ce maraud ? » dit-il en avisant dans l'ombre cette espèce de figure déhanchée qui accourait vers lui en cahotant.

Quasimodo cependant était arrivé à lui et avait pris hardiment la bride de son cheval : « Suivez-moi, capitaine, il y a ici quelqu'un qui veut vous parler.

« — Cornemahom ! grommela Phœbus, voilà un vilain oiseau ébouriffé qu'il me semble avoir vu quelque part. Holà ! maître, veux-tu bien laisser la bride de mon cheval ? »

Quasimodo, loin de quitter la bride du cheval, se disposait à lui faire rebrousser chemin. Ne pouvant s'expliquer la résistance du capitaine, il se hâta de lui dire :

« Venez, capitaine, c'est une femme qui vous attend. » Il ajouta avec effort : « Une femme qui vous aime.

— Rare faquin ! dit le capitaine, qui me croit obligé d'aller chez toutes les femmes qui m'aiment ! ou qui le disent ! Et si par hasard elle te ressemble, face de chat-huant ? Dis à celle qui t'envoie que je vais me marier, et qu'elle aille au diable !

— Écoutez, s'écria Quasimodo, croyant vaincre d'un mot son hésitation, venez, monseigneur ! c'est l'égyptienne que vous savez ! »

Ce mot fit en effet une grande impression sur Phœbus, mais non celle que le sourd en attendait.

« L'égyptienne ! s'écria-t-il, presque effrayé. Or çà, viens-tu de l'autre monde ? »

Et il mit sa main sur la poignée de sa dague.

« Vite, vite, dit le sourd cherchant à entraîner le cheval. Par ici ! »

Phœbus lui asséna un vigoureux coup de botte dans la poitrine.

L'œil de Quasimodo étincela. Il fit un mouvement pour se jeter sur le capitaine. Puis il dit en se roidissant :

« Oh ! que vous êtes heureux qu'il y ait quelqu'un qui vous aime ! »

Il appuya sur le mot *quelqu'un*, et, lâchant la bride du cheval :

« Allez-vous-en ! »

Phœbus piqua des deux en jurant. Quasimodo le regarda s'enfoncer dans le brouillard de la rue.

« Oh ! disait tout bas le pauvre sourd, refuser cela ! »

Il rentra dans Notre-Dame, alluma sa lampe et remonta dans la tour. Comme il l'avait pensé, la bohémienne était toujours à la même place.

Du plus loin qu'elle l'aperçut, elle courut à lui.

« Seul ! s'écria-t-elle en joignant douloureusement ses belles mains.

— Je n'ai pu le retrouver, dit froidement Quasimodo.

— Il fallait l'attendre toute la nuit ! » reprit-elle avec emportement.

Il vit son geste de colère et comprit le reproche.

« Je le guetterai mieux une autre fois, dit-il en baissant la tête.

— Va-t'en ! » lui dit-elle.

Il la quitta. Elle était mécontente de lui. Il avait mieux aimé être maltraité par elle que de l'affliger. Il avait gardé toute la douleur pour lui.

À dater de ce jour, l'égyptienne ne le vit plus. Il cessa de venir à sa cellule. Tout au plus entrevoyait-elle quelquefois au sommet d'une tour la figure du sonneur mélancoliquement fixée sur elle. Mais, dès qu'elle l'apercevait, il disparaissait.

Elle s'en soucia médiocrement. Elle passait ses

journées à caresser Djali, à épier la porte du logis Gondelaurier, à s'entretenir tout bas de Phœbus et à émietter son pain aux hirondelles.

Elle avait du reste tout à fait cessé de voir, cessé d'entendre Quasimodo. Le pauvre sonneur semblait avoir disparu de l'église. Une nuit pourtant, comme elle ne dormait pas et songeait à son beau capitaine, elle entendit soupirer près de sa cellule. Effrayée, elle se leva et vit à la lumière de la lune une masse informe couchée en travers devant sa porte. C'était Quasimodo qui dormait là sur la pierre.

5

La clef de la Porte-Rouge

Cependant la voix publique avait fait connaître à l'archidiacre de quelle manière miraculeuse l'égyptienne avait été sauvée. Quand il apprit cela, il ne sut ce qu'il en éprouvait. Il s'était arrangé de la mort de la Esmeralda. De cette façon il était tranquille, il avait touché le fond de la douleur possible.

Mais la sentir vivante, et Phœbus aussi, c'étaient les tortures qui recommençaient, les secousses, les alternatives, la vie. Et Claude était las de tout cela.

Quand il sut cette nouvelle, il s'enferma dans sa cellule du cloître. Il ne parut ni aux conférences capitulaires ni aux offices. Il ferma sa porte à tous, même à l'évêque. Il resta muré de cette sorte plusieurs semaines. On le crut malade. Il l'était en effet.

Que faisait-il ainsi enfermé ? Sous quelles pensées l'infortuné se débattait-il ?

Son Jehan, son frère chéri, son enfant gâté, vint une

fois à sa porte, frappa, jura, supplia, se nomma dix fois. Claude n'ouvrit pas.

Il passait des journées entières la face collée aux vitres de sa fenêtre. De cette fenêtre, située dans le cloître, il voyait la logette de la Esmeralda, il la voyait souvent elle-même avec sa chèvre, quelquefois avec Quasimodo. Il remarquait les petits soins du vilain sourd, ses façons délicates avec l'égyptienne. Il se demandait quel motif avait pu pousser Quasimodo à la sauver. Alors il sentit confusément s'éveiller en lui une jalousie à laquelle il ne se fût jamais attendu, une jalousie qui le faisait rougir de honte et d'indignation. « Passe encore pour le capitaine, mais celui-ci ! » Cette pensée le bouleversait.

Il se tordait sur son lit de sentir la brune jeune fille si près de lui.

Une nuit il sauta hors de son lit, jeta un surplis sur sa chemise, et sortit de sa cellule, sa lampe à la main.

Il savait où trouver la clef de la Porte-Rouge qui communiquait du cloître à l'église, et il avait toujours sur lui, comme on sait, une clef de l'escalier des tours.

6

Suite de la clef de la Porte-Rouge

Cette nuit-là, la Esmeralda s'était endormie dans sa logette, pleine d'oubli, d'espérance et de douces pensées. Elle dormait depuis quelque temps, rêvant, comme toujours, de Phœbus, lorsqu'il lui sembla entendre du bruit autour d'elle. Elle avait un sommeil léger et inquiet, un sommeil d'oiseau. Un rien la réveillait. Elle ouvrit les yeux. La nuit était très noire. Cependant elle vit à sa lucarne une figure qui la regardait. Il y avait une lampe qui éclairait cette apparition. Au moment où elle se vit aperçue de la Esmeralda, cette figure souffla la lampe. Néanmoins la jeune fille avait eu le temps de l'entrevoir. Ses paupières se refermèrent de terreur.

« Oh ! dit-elle d'une voix éteinte, le prêtre ! »

Tout son malheur passé lui revint comme dans un éclair. Elle retomba sur son lit, glacée.

Elle voulut crier et ne put.

« Va-t'en, monstre ! va-t'en, assassin ! » dit-elle d'une voix tremblante et basse à force de colère et d'épouvante. « Au secours ! »

Djali seule était éveillée et bêlait avec angoisse.

« Tais-toi ! » disait le prêtre, haletant.

Tout à coup, la main de l'égyptienne rencontra quelque chose de froid et de métallique. C'était le sifflet de Quasimodo. Elle le saisit, le porta à ses lèvres, et y siffla de tout ce qui lui restait de force. Le sifflet rendit un son clair, aigu, perçant.

« Qu'est-ce que cela ? » dit le prêtre.

Presque au même instant, il se sentit enlever par un bras vigoureux ; la cellule était sombre, il ne put distinguer nettement qui le tenait ainsi ; mais il entendit des dents claquer de rage, et il y avait juste assez de lumière éparse dans l'ombre pour qu'il vît briller au-dessus de sa tête une large lame de coutelas.

Le prêtre crut apercevoir la forme de Quasimodo. Il supposa que ce ne pouvait être que lui. Il se souvint d'avoir trébuché en entrant contre un paquet qui était étendu en travers de la porte en dehors.

En un clin d'œil le prêtre fut terrassé et sentit un genou de plomb s'appuyer sur sa poitrine. À l'empreinte anguleuse de ce genou, il reconnut Quasimodo. Mais que faire ? comment de son côté être reconnu de lui ? la nuit faisait le sourd aveugle.

Il était perdu. La jeune fille, sans pitié, comme une tigresse irritée, n'intervenait pas pour le sauver. Le coutelas se rapprochait de sa tête. Le moment était critique. Tout à coup son adversaire parut pris d'une hésitation. « Pas de sang sur elle ! » dit-il d'une voix sourde.

C'était en effet la voix de Quasimodo.

Alors le prêtre sentit la grosse main qui le traînait hors de la cellule. C'est là qu'il devait mourir. Heureusement pour lui, la lune venait de se lever depuis quelques instants.

Quand ils eurent franchi la porte de la logette, son pâle rayon tomba sur la figure du prêtre. Quasimodo le regarda en face, un tremblement le prit, il lâcha le prêtre et recula.

« Monseigneur, dit-il d'une voix grave et résignée, vous ferez après ce qu'il vous plaira ; mais tuez-moi d'abord. »

En parlant ainsi, il présentait au prêtre son coutelas. Le prêtre hors de lui se jeta dessus, mais la jeune fille fut plus prompte que lui. Elle arracha le couteau des mains de Quasimodo et éclata de rire avec fureur. « Approche ! » dit-elle au prêtre.

Elle tenait la lame haute. Puis avec une expression impitoyable, et sachant bien qu'elle allait percer de mille fers rouges le cœur du prêtre : « Ah ! je sais que Phœbus n'est pas mort ! » lui cria-t-elle.

Le prêtre renversa Quasimodo à terre d'un coup de pied et se replongea en frémissant de rage sous la voûte de l'escalier.

Quand il fut parti, Quasimodo ramassa le sifflet qui venait de sauver l'égyptienne. « Il se rouillait », dit-il en le lui rendant. Puis il la laissa seule.

La jeune fille, bouleversée par cette scène violente, tomba épuisée sur son lit et se mit à pleurer à sanglots. Son horizon redevenait sinistre.

LIVRE HUITIÈME

1

Gringoire a plusieurs
bonnes idées de suite

Depuis que Pierre Gringoire avait vu comment toute
cette affaire tournait, et que décidément il y aurait
corde, pendaison et autres désagréments pour les personnages principaux de cette comédie, il ne s'était
plus soucié de s'en mêler.

Un jour, il s'était arrêté près de Saint-Germain-
l'Auxerrois, à l'angle d'un logis qu'on appelait le *For-
l'Évêque*. Il y avait à ce For-l'Évêque une charmante
chapelle du quatorzième siècle dont le chevet donnait
sur la rue. Gringoire en examinait dévotement les
sculptures extérieures. Tout à coup, il sent une main
se poser gravement sur son épaule. Il se retourne.
C'était son ancien ami, son ancien maître, monsieur
l'archidiacre.

Il resta stupéfait. Il y avait longtemps qu'il n'avait vu l'archidiacre.

L'archidiacre garda quelques instants un silence pendant lequel Gringoire eut le loisir de l'observer. Il trouva dom Claude bien changé, pâle comme un matin d'hiver, les yeux caves, les cheveux presque blancs. Ce fut le prêtre qui rompit enfin le silence en disant d'un ton tranquille, mais glacial : « Comment vous portez-vous, maître Pierre ?

— Ma santé ? répondit Gringoire. Hé ! hé ! on en peut dire ceci et cela. Toutefois l'ensemble est bon.

— Et que faites-vous maintenant ?

— Vous le voyez, mon maître. J'examine la coupe de ces pierres, et la façon dont est fouillé ce bas-relief. »

En ce moment, un bruit de chevaux se fit entendre, et nos deux interlocuteurs virent défiler au bout de la rue une compagnie des archers de l'ordonnance du roi, les lances hautes, l'officier en tête. La cavalcade était brillante et résonnait sur le pavé.

« Comme vous regardez cet officier ! dit Gringoire à l'archidiacre.

— C'est que je crois le reconnaître.

— Comment le nommez-vous ?

— Je crois, dit Claude, qu'il s'appelle Phœbus de Châteaupers. »

Depuis le passage de cette troupe, quelque agitation perçait sous l'enveloppe glaciale de l'archidiacre. Il se mit à marcher. Gringoire le suivait, habitué à lui obéir, comme tout ce qui avait approché une fois cet homme plein d'ascendant. Ils arrivèrent en silence jusqu'à la rue des Bernardins, qui était assez déserte. Dom Claude s'y arrêta.

« Qu'avez-vous à me dire, mon maître ? lui demanda Gringoire.

— Pierre Gringoire, dit l'archidiacre, qu'avez-vous fait de cette petite danseuse égyptienne ?

— La Esmeralda ?

— N'était-elle pas votre femme ?

— Oui, au moyen d'une cruche cassée. Nous en avions pour quatre ans.

— Cette bohémienne ne vous avait-elle pas sauvé la vie ?

— C'est pardieu vrai.

— Eh bien ! qu'est-elle devenue ? qu'en avez-vous fait ?

— Je ne vous dirai pas. Je crois qu'ils l'ont pendue.

— Vous croyez ?

— Je ne suis pas sûr.

— C'est là tout ce que vous en savez ?

— Attendez donc. On m'a dit qu'elle s'était réfugiée dans Notre-Dame, et qu'elle y était en sûreté, et j'en suis ravi.

— Je vais vous en apprendre davantage », cria dom Claude ; et sa voix, jusqu'alors basse, lente et presque sourde, était devenue tonnante. « Elle est en effet réfugiée dans Notre-Dame. Mais dans trois jours la justice l'y reprendra, et elle sera pendue en Grève. Il y a arrêt du parlement.

— Voilà qui est fâcheux », dit Gringoire.

Le prêtre, en un clin d'œil, était redevenu froid et calme.

« Et qui diable, reprit le poète, s'est donc amusé à

267

solliciter un arrêt de réintégration ? Est-ce qu'on ne pouvait pas laisser le parlement tranquille ? Qu'est-ce que cela fait qu'une pauvre fille s'abrite sous les arcs-boutants de Notre-Dame à côté des nids d'hirondelle ?

— Il y a des satans dans le monde, répondit l'archidiacre.

— Cela est diablement mal emmanché », observa Gringoire.

L'archidiacre reprit après un silence :

« Écoutez, maître Pierre, souvenez-vous que vous lui devez la vie. Je vais vous dire franchement mon idée. L'église est guettée jour et nuit. On n'en laisse sortir que ceux qu'on y a vus entrer. Vous pourrez donc entrer. Vous viendrez. Je vous introduirai près d'elle. Vous changerez d'habits avec elle. Elle prendra votre pourpoint, vous prendrez sa jupe.

— Cela va bien jusqu'à présent, observa le philosophe. Et puis ?

— Et puis ? Elle sortira avec vos habits ; vous resterez avec les siens. On vous pendra peut-être, mais elle sera sauvée. »

Gringoire se gratta l'oreille avec un air très sérieux.

« Tiens ! dit-il, voilà une idée qui ne me serait jamais venue toute seule. »

À la proposition inattendue de dom Claude, la figure ouverte et bénigne du poète s'était brusquement rembrunie.

« Eh bien, Gringoire ! que dites-vous du moyen ?

— Je dis, mon maître, qu'on ne me pendra pas peut-être, mais qu'on me pendra indubitablement.

— Cela ne nous regarde pas.

— La peste ! dit Gringoire.

— Elle vous a sauvé la vie. C'est une dette que vous payez.

— Il y en a bien d'autres que je ne paie pas !

— Maître Pierre, il le faut absolument.

— Ah ! ma foi, non ! dit Gringoire. Être pendu ! c'est trop absurde. Je ne veux pas.

— Adieu alors ! » Et l'archidiacre ajouta entre ses dents : « Je te retrouverai ! »

« Je ne veux pas que ce diable d'homme me retrouve », pensa Gringoire ; et il courut après dom Claude. « Tenez, monsieur l'archidiacre, pas d'humeur entre vieux amis ! Vous vous intéressez à ma femme, c'est bien. Vous avez imaginé un stratagème pour la faire sortir sauve de Notre-Dame, mais votre moyen est extrêmement désagréable pour moi, Gringoire. Il vient de me survenir à l'instant une inspiration très lumineuse. Les truands sont de braves fils. La tribu d'Égypte l'aime. Ils se lèveront au premier mot. Rien de plus facile. Un coup de main. À la faveur du désordre, on l'enlèvera aisément. Dès demain soir... Ils ne demanderont pas mieux. »

Dom Claude lui prit la main et lui dit froidement : « C'est bon. À demain.

— À demain », répéta Gringoire. Et tandis que l'archidiacre s'éloignait d'un côté, il s'en alla de l'autre en se disant à demi-voix : « Voilà une fière affaire, monsieur Pierre Gringoire. N'importe. Il n'est pas dit, parce qu'on est petit, qu'on s'effrayera d'une grande entreprise. »

2

Vive la joie !

La cour des Miracles était enclose par l'ancien mur
d'enceinte de la ville, dont bon nombre de tours commençaient dès cette époque à tomber en ruine. L'une
de ces tours avait été convertie en lieu de plaisir par
les truands. Il y avait cabaret dans la salle basse.

On y descendait par une porte basse et par un
escalier roide. Sur la porte il y avait en guise d'enseigne un merveilleux barbouillage représentant des sols
neufs et des poulets tués, avec ce calembour au-
dessous : *Aux sonneurs pour les trépassés.*

Un soir, au moment où le couvre-feu sonnait à tous
les beffrois de Paris, les sergents du guet, s'il leur eût
été donné d'entrer dans la redoutable cour des
Miracles, auraient pu remarquer qu'il se faisait dans
la taverne des truands plus de tumulte encore qu'à
l'ordinaire, qu'on y buvait plus et qu'on y jurait
mieux. On leur voyait à tous reluire quelque arme

entre les jambes : une serpe, une cognée, un gros estramaçon, ou le croc d'une vieille hacquebute.

La salle, de forme ronde, était très vaste, mais les tables étaient si pressées et les buveurs si nombreux, que tout ce que contenait la taverne, hommes, femmes, bancs, cruches à bière, ce qui buvait, ce qui dormait, ce qui jouait, les bien-portants, les éclopés, semblaient entassés pêle-mêle avec autant d'ordre et d'harmonie qu'un tas d'écailles d'huîtres. Il y avait quelques suifs allumés sur les tables ; mais le véritable luminaire de la taverne, c'était le feu.

Quelle que fût la confusion, après le premier coup d'œil, on pouvait distinguer dans cette multitude trois groupes principaux, qui se pressaient autour de trois personnages que le lecteur connaît déjà. L'un de ces personnages, bizarrement accoutré de maint oripeau oriental, était Mathias Hungadi Spicali, duc d'Égypte et de Bohême.

Une autre cohue s'épaississait autour de notre ancien ami, le vaillant roi de Thunes, armé jusqu'aux dents. Clopin Trouillefou, d'un air très sérieux et à voix basse, réglait le pillage d'une énorme futaille pleine d'armes, largement défoncée devant lui, d'où se dégorgeaient en foule haches, épées, bassinets, cottes de mailles, platers, fers de lance et d'archegayes, sagettes et viretons[1], comme pommes et raisins d'une corne d'abondance. Chacun prenait au tas.

Enfin un troisième auditoire, le plus bruyant, le

---

1. Bassinets : casques ; platers : plaques d'armure ; archegayes : piques d'origine gauloise ; sagettes : flèches ; viretons : flèches d'arbalète.

plus jovial et le plus nombreux, encombrait les bancs et les tables au milieu desquels pérorait et jurait une voix en flûte qui s'échappait de dessous une pesante armure complète du casque aux éperons. L'individu qui s'était ainsi vissé une panoplie sur le corps disparaissait tellement sous l'habit de guerre qu'on ne voyait plus de sa personne qu'un nez effronté, rouge, retroussé, une boucle de cheveux blonds, une bouche rose et des yeux hardis. Il avait la ceinture pleine de dagues et de poignards, une grande épée au flanc, une arbalète rouillée à sa gauche, et un vaste broc de vin devant lui.

Il y avait parmi ce vacarme, au fond de la taverne, sur le banc intérieur de la cheminée, un philosophe qui méditait, les pieds dans la cendre et l'œil sur les tisons. C'était Pierre Gringoire.

« Allons, vite, dépêchons, armez-vous ! on se met en marche dans une heure ! » disait Clopin Trouillefou à ses argotiers.

La voix du jeune drôle armé de pied en cap dominait le brouhaha.

« Noël ! Noël ! criait-il. Mes premières armes aujourd'hui ! Truand ! Mes amis, je m'appelle Jehan Frollo, et je suis gentilhomme. Frères, nous allons faire une belle expédition. Nous sommes des vaillants. Assiéger l'église, enfoncer les portes, en tirer la belle fille, la sauver des juges, la sauver des prêtres, démanteler le cloître, brûler l'évêque dans l'évêché, nous ferons cela en moins de temps qu'il n'en faut à un bourgmestre pour manger une cuillerée de soupe. Notre cause est juste, nous pillerons Notre-Dame, et tout sera dit. Nous pendrons Quasimodo. Connaissez-vous Quasimodo, mesdemoiselles ? L'avez-vous vu s'essouffler sur le bourdon un jour de grande Pentecôte ? on dirait un diable à cheval sur une gueule. Mes amis, écoutez-moi, je suis truand au fond du cœur, je suis argotier dans l'âme, je suis né cagou. J'ai été très riche, et j'ai mangé mon bien. Ma mère voulait me faire officier, mon père sous-diacre, ma tante conseiller aux enquêtes, ma grand-mère protonotaire du roi, ma grand-tante trésorier de robe courte. Moi, je me suis fait truand. J'ai dit cela à mon père qui m'a craché sa malédiction au visage, à ma mère qui s'est mise, la vieille dame, à pleurer. »

Cependant les truands continuaient de s'armer en chuchotant à l'autre bout du cabaret.

« Cette pauvre Esmeralda ! disait un bohémien. C'est notre sœur. Il faut la tirer de là.

— Est-elle donc toujours à Notre-Dame ? reprenait un marcandier[1] à mine de juif.

— Oui, pardieu ! »

Cependant, Clopin Trouillefou avait fini sa distribution d'armes. Il s'approcha du duc d'Égypte.

« Camarade Mathias, le quart d'heure n'est pas bon. On dit le roi Louis onzième à Paris.

— Raison de plus pour lui tirer notre sœur des griffes, répondit le vieux bohémien.

— Tu parles en homme, Mathias, dit le roi de Thunes. D'ailleurs nous ferons lestement. Pas de résistance à craindre dans l'église. Les gens du parlement seront bien attrapés demain quand ils viendront la

---

1. Mendiant imitant un marchand ruiné par le sort.

chercher ! Boyaux du pape ! je ne veux pas qu'on pende la jolie fille ! »

Clopin sortit du cabaret.

Pendant ce temps-là, Jehan s'écriait d'une voix enrouée :

« Je bois, je mange, je suis ivre, je suis Jupiter ! Eh ! Pierre-l'Assommeur, si tu me regardes encore comme cela, je vais t'épousseter le nez avec des chiquenaudes. »

De son côté, Gringoire s'était mis à considérer la scène fougueuse et criarde qui l'environnait en murmurant entre ses dents : « *Luxuriosa res vinum et tumultuosa ebrietas*[1]. Hélas ! que j'ai bien raison de ne pas boire. »

En ce moment, Clopin rentra et cria d'une voix de tonnerre :

« Minuit ! »

À ce mot, qui fit l'effet du boute-selle sur un régiment en halte, tous les truands, hommes, femmes, enfants, se précipitèrent en foule hors de la taverne avec un grand bruit d'armes et de ferrailles.

La lune s'était voilée. La cour des Miracles était tout à fait obscure. Il n'y avait pas une lumière. Elle était pourtant loin d'être déserte, et l'on voyait reluire toutes sortes d'armes dans les ténèbres. Clopin monta sur une grosse pierre.

« À vos rangs, l'Argot ! cria-t-il. À vos rangs, l'Égypte ! À vos rangs, Galilée ! »

Un mouvement se fit dans l'ombre. L'immense

---

1. « Le vin est une chose luxurieuse et bruyante est l'ivresse » (en latin).

multitude parut se former en colonne. Après quelques minutes, le roi de Thunes éleva encore la voix :

« Maintenant, silence pour traverser Paris ! Le mot de passe est : *Petite flamme en baguenaud !* On n'allumera les torches qu'à Notre-Dame ! En marche ! »

Dix minutes après, les cavaliers du guet s'enfuyaient épouvantés devant une longue procession d'hommes noirs et silencieux qui descendait vers le pont au Change, à travers les rues tortueuses qui percent en tous sens le massif quartier des Halles.

3

Un maladroit ami

Cette nuit-là, Quasimodo, après avoir donné un coup d'œil à ses pauvres cloches si délaissées, était monté jusque sur le sommet de la tour septentrionale, et là, posant sur les plombs sa lanterne sourde bien fermée, il s'était mis à regarder Paris. La nuit était fort obscure. Quasimodo n'y voyait plus de lumière qu'à une fenêtre d'un édifice éloigné, dont le vague et sombre profil se dessinait bien au-dessus des toits, du côté de la porte Saint-Antoine. Là aussi il y avait quelqu'un qui veillait.

Tout en laissant flotter dans cet horizon de brume et de nuit son unique regard, le sonneur sentait au-dedans de lui-même une inexprimable inquiétude. Depuis plusieurs jours il était sur ses gardes. Il voyait sans cesse rôder autour de l'église des hommes à mine sinistre qui ne quittaient pas des yeux l'asile de la jeune fille. Il songeait qu'il se tramait peut-être quelque complot contre la malheureuse réfugiée. Il se figurait qu'il y avait une haine populaire sur elle comme il y en avait une sur lui.

Tout à coup, tandis qu'il scrutait la grande ville de cet œil que la nature, par une sorte de compensation, avait fait si perçant, il lui parut que la silhouette du quai de la Vieille-Pelleterie avait quelque chose de singulier, qu'il y avait un mouvement sur ce point, que la ligne du parapet détachée en noir sur la blancheur de l'eau n'était pas droite et tranquille, mais qu'elle ondulait au regard comme les vagues d'un fleuve ou comme les têtes d'une foule en marche.

Cela lui parut étrange. Il redoubla d'attention. Le mouvement semblait venir vers la Cité. Aucune lumière d'ailleurs. Il dura quelque temps sur le quai, puis il s'écoula peu à peu, comme si ce qui passait entrait dans l'intérieur de l'île, puis il cessa tout à fait, et la ligne du quai redevint droite et immobile.

Au moment où Quasimodo s'épuisait en conjectures, il lui sembla que le mouvement reparaissait dans la rue du Parvis qui se prolonge dans la Cité perpendiculairement à la façade de Notre-Dame. Enfin, si épaisse que fût l'obscurité, il vit une tête de colonne déboucher par cette rue, et en un instant se répandre dans la place une foule dont on ne pouvait rien distinguer dans les ténèbres sinon que c'était une foule.

Alors ses craintes lui revinrent, l'idée d'une tentative contre l'égyptienne se représenta à son esprit. Il sentit confusément qu'il approchait d'une situation violente. En ce moment critique, il tint conseil en lui-même avec un raisonnement meilleur et plus prompt qu'on ne l'eût attendu d'un cerveau si mal organisé. Devait-il éveiller l'égyptienne ? la faire évader ? Par où ? les rues étaient investies, l'église était acculée à la rivière. Pas de bateau, pas d'issue. Il n'y avait qu'un parti, se faire tuer au seuil de Notre-Dame, résister du moins jusqu'à ce qu'il vînt un secours, s'il en devait venir, et ne pas troubler le sommeil de la Esmeralda. La malheureuse serait toujours éveillée assez tôt pour mourir. Cette résolution une fois arrêtée, il se mit à examiner l'*ennemi* avec plus de tranquillité.

La foule semblait grossir à chaque instant dans le Parvis. Seulement il présuma qu'elle ne devait faire que fort peu de bruit, puisque les fenêtres des rues et de la place restaient fermées. Tout à coup une lumière brilla, et en un instant sept ou huit torches allumées se promenèrent sur les têtes, en secouant dans l'ombre leurs touffes de flammes. Quasimodo vit alors distinctement moutonner dans le Parvis un effrayant troupeau d'hommes et de femmes en haillons, armés de faulx, de piques, de serpes, de pertuisanes dont les mille pointes étincelaient. Il se ressouvint vaguement de cette populace, et crut reconnaître toutes les têtes qui l'avaient, quelques mois auparavant, salué pape des fous. Un homme qui tenait une torche d'une main et une boullaye de l'autre monta sur une borne et parut haranguer. En même temps l'étrange armée fit quelques évolutions comme si elle prenait poste autour de l'église. Quasimodo ramassa sa lanterne et descendit sur la plate-forme d'entre les tours pour voir de plus près et aviser aux moyens de défense.

Clopin Trouillefou, arrivé devant le haut portail de Notre-Dame, avait rangé sa troupe en bataille.

Le digne chef de la bande monta sur le parapet du Parvis et éleva sa voix rauque et bourrue :

« À toi, Louis de Beaumont ; évêque de Paris, conseiller en la cour de parlement, moi Clopin Trouillefou, roi de Thunes, grand coësre, prince de l'argot, évêque des fous, je dis : Notre sœur, faussement condamnée pour magie, s'est réfugiée dans ton église ; tu lui dois asile et sauvegarde ; or la cour de parlement l'y veut reprendre, et tu y consens ; si bien qu'on la pendrait demain en Grève, si Dieu et les truands n'étaient pas là. Donc nous venons à toi, évêque. Si ton église est sacrée, notre sœur l'est aussi ; si notre sœur n'est pas sacrée, ton église ne l'est pas non plus. C'est pourquoi nous te sommons de nous rendre la fille si tu veux sauver ton église, ou que nous reprendrons la fille et que nous pillerons l'église. Ce qui sera bien. En foi de quoi, je plante cy ma bannière, et Dieu te soit en garde, évêque de Paris ! »

Quasimodo malheureusement ne put entendre ces paroles prononcées avec une sorte de majesté sombre et sauvage. Un truand présenta sa bannière à Clopin, qui la planta solennellement entre deux pavés. C'était une fourche aux dents de laquelle pendait, saignant, un quartier de charogne.

Cela fait, le roi de Thunes se retourna et promena ses yeux sur son armée, farouche multitude où les regards brillaient presque autant que les piques. Après une pause d'un instant :

« En avant, fils ! cria-t-il. À la besogne, les hutins ! »

Trente hommes robustes, à membres carrés, à face de serruriers, sortirent des rangs, avec des marteaux, des pinces et des barres de fer sur leurs épaules. Ils se dirigèrent vers la principale porte de l'église, montèrent le degré, et bientôt on les vit tous accroupis sous l'ogive, travaillant la porte de pinces et de leviers. Une foule de truands les suivit pour les aider ou les regarder. Les onze marches du portail en étaient encombrées.

Cependant la porte tenait bon. « Diable ! elle est dure et têtue ! » disait l'un. « Elle est vieille et elle a les cartilages racornis », disait l'autre. « Courage, camarades ! reprenait Clopin. Je gage ma tête contre une pantoufle que vous aurez ouvert la porte, pris la fille et déshabillé le maître-autel avant qu'il y ait un bedeau de réveillé. Tenez ! je crois que la serrure se détraque. »

Clopin fut interrompu par un fracas effroyable qui retentit en ce moment derrière lui. Il se retourna. Une énorme poutre venait de tomber du ciel, elle avait écrasé une douzaine de truands sur le degré de l'église et rebondissait sur le pavé avec le bruit d'une pièce de canon, en cassant encore çà et là des jambes dans la foule des gueux qui s'écartaient avec des cris d'épouvante. En un clin d'œil l'enceinte réservée du parvis fut vide.

Il est impossible de dire quel étonnement mêlé d'effroi tomba avec cette poutre sur les bandits. Ils restèrent quelques minutes les yeux fixés en l'air, plus consternés de ce morceau de bois que de vingt mille archers du roi.

« Satan ! grommela le duc d'Égypte, voilà qui flaire la magie !

— C'est la lune qui nous jette cette bûche », dit Andry le Rouge.

Le roi de Thunes, le premier étonnement passé, trouva enfin une explication qui sembla plausible à ses compagnons.

« Gueule-Dieu ! est-ce que les chanoines se défendent ? Alors à sac ! à sac !

— À sac ! » répéta la cohue avec un hourra furieux. Et il se fit une décharge d'arbalètes et de hacquebutes sur la façade de l'église.

À cette détonation, les paisibles habitants des maisons circonvoisines se réveillèrent, on vit plusieurs fenêtres s'ouvrir, et des bonnets de nuit et des mains tenant des chandelles apparurent aux croisées. « Tirez aux fenêtres ! » cria Clopin. Les fenêtres se refermèrent sur-le-champ et les pauvres bourgeois, qui avaient à peine eu le temps de jeter un regard effaré sur cette scène de lueurs et de tumultes, s'en revinrent suer de peur près de leurs femmes, se demandant si le sabbat se tenait maintenant dans le parvis Notre-Dame.

« À sac ! » répétaient les argotiers. Mais ils n'osaient approcher. Ils regardaient l'église, ils regardaient le madrier. Le madrier ne bougeait pas. L'édifice conservait son air calme et désert, mais quelque chose glaçait les truands.

« À l'œuvre donc, les hutins ! cria Trouillefou. Qu'on force la porte. »

Un vieux hutin lui adressa la parole.

« Capitaine, la porte est toute cousue de baffes de fer. Les pinces n'y peuvent rien. Il nous faudrait un bélier. »

Le roi de Thunes courut bravement au formidable madrier et mit le pied dessus. « En voilà un, cria-t-il, ce sont les chanoines qui vous l'envoient. » Et, faisant un salut dérisoire du côté de l'église : « Merci, chanoines ! »

Cette bravade fit bon effet, le charme du madrier était rompu. Les truands reprirent courage ; bientôt la lourde poutre, enlevée comme une plume par deux cents bras vigoureux, vint se jeter avec furie sur la grande porte qu'on avait déjà essayé d'ébranler.

Au choc de la poutre, la porte à demi métallique résonna comme un immense tambour ; elle ne se creva point, mais la cathédrale tout entière tressaillit, et l'on entendit gronder les profondes cavités de l'édifice.

Au même instant, une pluie de grosses pierres commença à tomber du haut de la façade sur les assaillants.

Le lecteur n'en est sans doute point à deviner que cette résistance inattendue qui avait exaspéré les truands venait de Quasimodo.

Le hasard avait par malheur servi le brave sourd.

Quand il était descendu sur la plate-forme d'entre les tours, ses idées étaient en confusion dans sa tête. Il avait couru quelques minutes le long de la galerie, allant et venant, comme fou, voyant d'en haut la masse compacte des truands prête à se ruer sur l'église, demandant au diable ou à Dieu de sauver l'égyptienne. Tout d'un coup, il se souvint que des maçons avaient travaillé tout le jour à réparer le mur, la charpente et la toiture de la tour méridionale. Ce fut un trait de lumière. Le mur était en pierre, la toiture en plomb, la charpente en bois.

Quasimodo courut à cette tour. Les chambres inférieures étaient en effet pleines de matériaux. Il y avait des piles de moellons, des feuilles de plomb en rouleaux, des faisceaux de lattes, de fortes solives déjà entaillées par la scie, des tas de gravats. Un arsenal complet.

L'instant pressait. Les pinces et les marteaux travaillaient en bas. Avec une force que décuplait le sentiment du danger, il souleva une des poutres, la plus lourde, la plus longue, il la fit sortir par une lucarne, puis, la ressaisissant du dehors de la tour, il la fit glisser sur l'angle de la balustrade qui entoure la plate-forme et la lâcha sur l'abîme. L'énorme charpente, dans cette chute de cent soixante pieds, raclant la muraille, cassant les sculptures, tourna plusieurs fois sur elle-même comme une aile de moulin qui s'en irait toute seule à travers l'espace. Enfin elle toucha le sol, l'horrible cri s'éleva, et la noire poutre, en rebondissant sur le pavé, ressemblait à un serpent qui saute.

Quasimodo vit les truands s'éparpiller à la chute du madrier. Il profita de leur épouvante, et, tandis qu'ils fixaient un regard superstitieux sur la massue tombée du ciel, et qu'ils éborgnaient les saints de pierre du portail avec une décharge de sagettes et de chevrotines, Quasimodo entassait silencieusement des gravats, des pierres, des moellons, jusqu'aux sacs d'outils des maçons, sur le rebord de cette balustrade d'où la poutre s'était déjà élancée.

Aussi, dès qu'ils se mirent à battre la grande porte, la grêle de moellons commença à tomber, et il leur sembla que l'église se démolissait d'elle-même sur leur tête.

Qui eût pu voir Quasimodo en ce moment eût été effrayé. Il se baissait, se relevait, se baissait et se relevait encore, avec une activité incroyable. Sa grosse tête de gnome se penchait par-dessus la balustrade, puis une pierre énorme tombait, puis une autre, puis une autre. De temps en temps il suivait une belle pierre de l'œil, et, quand elle tuait bien, il disait : « Hun ! »

Cependant les gueux ne se décourageaient pas. Déjà plus de vingt fois l'épaisse porte sur laquelle ils s'acharnaient avait tremblé sous la pesanteur de leur bélier de chêne multipliée par la force de cent hommes.

Il sentait que la grande porte chancelait. Quoiqu'il n'entendît pas, chaque coup de bélier se répercutait à la fois dans les cavernes de l'église et dans ses entrailles.

Sa pluie de moellons ne suffisait pas à repousser les assaillants.

En ce moment d'angoisse, il remarqua, un peu plus bas que la balustrade d'où il écrasait les argotiers, deux longues gouttières de pierre qui se dégorgeaient immédiatement au-dessus de la grande porte. L'orifice interne de ces gouttières aboutissait au pavé de la plate-forme. Une idée lui vint. Il courut chercher un fagot dans son bouge de sonneur, posa sur ce fagot force bottes de lattes et force rouleaux de plomb, munitions dont il n'avait pas encore usé, et, ayant bien disposé ce bûcher devant le trou des deux gouttières, il y mit le feu avec sa lanterne.

Pendant ce temps-là, les pierres ne tombant plus, les truands avaient cessé de regarder en l'air. Les bandits, haletant comme une meute qui force le sanglier dans sa bauge, se pressaient en tumulte autour de la grande porte, toute déformée par le bélier, mais debout encore.

Tout à coup, au moment où ils se groupaient pour un dernier effort autour du bélier, chacun retenant son haleine et roidissant ses muscles afin de donner toute sa force au coup décisif, un hurlement, plus épouvantable encore que celui qui avait éclaté et expiré sous le madrier, s'éleva au milieu d'eux. Deux jets de plomb fondu tombaient du haut de l'édifice au plus épais de la cohue. Cette mer d'hommes venait de s'affaisser sous le métal bouillant qui avait fait, aux deux points où il tombait, deux trous noirs et fumants dans la foule, comme ferait de l'eau chaude dans la neige. Autour de ces deux jets principaux, il y avait des gouttes de cette pluie horrible qui s'éparpillaient sur les assaillants et entraient dans les crânes comme des vrilles de flamme. C'était un feu pesant qui criblait ces misérables de mille grêlons.

La clameur fut déchirante. Ils s'enfuirent pêle-mêle, jetant le madrier sur les cadavres, les plus hardis comme les plus timides, et le parvis fut vide une seconde fois.

Tous les yeux s'étaient levés vers le haut de l'église. Ce qu'ils voyaient était extraordinaire. Sur le sommet de la galerie la plus élevée, plus haut que la rosace centrale, il y avait une grande flamme qui montait entre les deux clochers avec des tourbillons d'étincelles. Au-dessous de cette flamme, deux gouttières en gueules de monstres vomissaient sans relâche cette pluie ardente qui détachait son ruissellement argenté sur les ténèbres de la façade inférieure. À mesure qu'ils approchaient du sol, les deux jets de plomb liquide s'élargissaient en gerbes, comme l'eau qui jaillit des mille trous de l'arrosoir. Au-dessus de la flamme, les énormes tours, de chacune desquelles on voyait deux faces crues et tranchées, l'une toute noire, l'autre toute rouge, semblaient plus grandes encore de toute l'immensité de l'ombre qu'elles projetaient jusque dans le ciel. Leurs innombrables sculptures de diables et de dragons prenaient un aspect lugubre. Et parmi ces monstres ainsi réveillés de leur sommeil de pierre il y en avait un qui marchait et qu'on voyait de temps en temps passer sur le front ardent du bûcher, comme une chauve-souris devant une chandelle.

Il se fit un silence de terreur parmi les truands, pendant lequel on n'entendit que les cris d'alarme des chanoines enfermés dans leur cloître et plus inquiets que des chevaux dans une écurie qui brûle, le bruit furtif des fenêtres vite ouvertes et plus vite fermées, le remue-ménage intérieur des maisons et de l'Hôtel-Dieu, le vent dans la flamme, le dernier râle des mourants, et le pétillement continu de la pluie de plomb sur le pavé.

Cependant les principaux truands s'étaient retirés sous le porche du logis Gondelaurier, et tenaient conseil. Le duc d'Égypte, assis sur une borne, contemplait avec une crainte religieuse le bûcher fantasmagorique resplendissant à deux cents pieds en l'air. Clopin Trouillefou se mordait ses gros poings avec rage.

« Impossible d'entrer ! murmurait-il dans ses dents.

— Voyez-vous ce démon qui passe et repasse devant le feu ? s'écriait le duc d'Égypte.

— Pardieu, dit Clopin, c'est le damné sonneur, c'est Quasimodo. »

Le bohémien hochait la tête.

« Faut-il donc s'en aller piteusement comme des laquais de grand'route ? reprit Clopin. Laisser là notre sœur que ces loups chaperonnés pendront demain !

— Et la sacristie, où il y a des charretées d'or ! ajouta un truand. Essayons encore une fois. »

Mathias Hungadi hocha la tête.

« Nous n'entrerons pas par la porte. Il faut trouver le défaut de l'armure de la vieille fée. Un trou, une fausse poterne[1], une jointure quelconque.

— Qui en est ? dit Clopin. J'y retourne. À propos, où est donc le petit écolier Jehan qui était si enfer-raillé ?

— Il est sans doute mort, répondit quelqu'un. On ne l'entend plus rire. »

Le roi de Thunes fronça le sourcil.

« Tant pis. Il y avait un brave cœur sous cette fer-raille. Et maître Pierre Gringoire ?

— Capitaine Clopin, dit Andry le Rouge, il s'est esquivé, que nous n'étions encore qu'au Pont-aux-Changeurs. »

Clopin frappa du pied. « Gueule-Dieu ! c'est lui qui nous pousse céans, et il nous plante là au beau milieu de la besogne ! Lâche bavard, casqué d'une pantoufle !

— Capitaine Clopin, cria Andry le Rouge, qui regardait dans la rue du Parvis, voilà le petit écolier.

---

1. Porte secrète.

« — Loué soit Pluto ! dit Clopin. Mais que diable tire-t-il après lui ? »

C'était Jehan, en effet, qui accourait aussi vite que le lui permettaient ses lourds habits de paladin et une longue échelle qu'il traînait bravement sur le pavé, plus essoufflé qu'une fourmi attelée à un brin d'herbe vingt fois plus long qu'elle.

« Victoire ! *Te Deum !* criait l'écolier. Voilà l'échelle des déchargeurs du port Saint-Landry. »

Clopin s'approcha de lui.

« Enfant ! que veux-tu faire, cornedieu ! de cette échelle ? »

Jehan le regarda d'un air malin et capable, et fit claquer ses doigts comme des castagnettes. Il était sublime en ce moment. Il avait sur la tête un de ces casques surchargés du quinzième siècle, qui épouvantaient l'ennemi de leurs cimiers chimériques. Le sien était hérissé de dix becs de fer.

« Ce que j'en veux faire, auguste roi de Thunes ? Voyez-vous cette rangée de statues qui ont des mines d'imbéciles là-bas au-dessus des trois portails ?

— Oui. Eh bien ?

— C'est la galerie des rois de France.

— Qu'est-ce que cela me fait ? dit Clopin.

— Attendez donc ! Il y a au bout de cette galerie une porte qui n'est jamais fermée qu'au loquet, avec cette échelle j'y monte, et je suis dans l'église.

— Enfant, laisse-moi monter le premier.

— Non pas, camarade, c'est à moi l'échelle. Venez, vous serez le second. »

Jehan se mit à courir par la place, tirant son échelle et criant : « À moi ! les fils ! »

288

En un instant, l'échelle fut dressée et appuyée à la balustrade de la galerie inférieure, au-dessus d'un des portails latéraux. La foule des truands poussant de grandes acclamations se pressa au bas pour y monter. Mais Jehan maintint son droit et posa le premier le pied sur les échelons. Les truands le suivaient.

L'écolier toucha enfin au balcon de la galerie, et l'enjamba assez lestement, aux applaudissements de toute la truanderie. Ainsi maître de la citadelle, il poussa un cri de joie, et tout à coup s'arrêta pétrifié. Il venait d'apercevoir, derrière une statue de roi, Quasimodo caché dans les ténèbres, l'œil étincelant.

Avant qu'un second assiégeant eût pu prendre pied sur la galerie, le formidable bossu sauta à la tête de l'échelle, saisit sans dire une parole le bout des deux montants de ses mains puissantes, les souleva, les éloigna du mur, balança un moment, au milieu des clameurs d'angoisse, la longue et pliante échelle encombrée de truands du haut en bas, et subitement, avec une force surhumaine, rejeta cette grappe d'hommes dans la place. Il y eut un instant où les plus déterminés palpitèrent. L'échelle, lancée en arrière, resta un moment droite et debout et parut hésiter, puis oscilla, puis tout à coup, décrivant un effrayant arc de cercle de quatre-vingts pieds de rayon, s'abattit sur le pavé avec sa charge de bandits plus rapidement qu'un pont-levis dont les chaînes se cassent. Il y eut une immense imprécation, puis tout s'éteignit, et quelques malheureux mutilés se retirèrent en rampant de dessous le monceau de morts.

Une rumeur de douleur et de colère succéda parmi les assiégeants aux premiers cris de triomphe. Quasimodo, impassible, les deux coudes appuyés sur la balustrade, regardait. Il avait l'air d'un vieux roi chevelu à sa fenêtre.

Jehan Frollo était, lui, dans une situation critique. Il se trouvait dans la galerie avec le redoutable sonneur, seul, séparé de ses compagnons par un mur vertical de quatre-vingts pieds. Pendant que Quasimodo jouait avec l'échelle, l'écolier avait couru à la poterne qu'il croyait ouverte. Point. Le sourd en entrant dans la galerie l'avait fermée derrière lui. Jehan alors s'était caché derrière un roi de pierre, n'osant souffler, et fixant sur le monstrueux bossu une mine effarée.

Dans les premiers moments le sourd ne prit pas garde à lui ; mais enfin il tourna la tête et se redressa tout d'un coup. Il venait d'apercevoir l'écolier.

Jehan se prépara à un rude choc, mais le sourd resta immobile ; seulement il était tourné vers l'écolier qu'il regardait.

« Ho ! ho ! dit Jehan, qu'as-tu à me regarder de cet œil borgne et mélancolique ?

Et en parlant ainsi, le jeune drôle apprêtait sournoisement son arbalète.

« Quasimodo ! cria-t-il, je vais changer ton surnom. On t'appellera l'aveugle. »

Le coup partit. Le vireton empenné siffla et vint se ficher dans le bras gauche du bossu. Quasimodo ne s'en émut pas plus que d'une égratignure au roi Pharamond. Il porta la main à la sagette, l'arracha de son bras et la brisa tranquillement sur son gros genou. Puis il laissa tomber, plutôt qu'il ne jeta à terre les deux morceaux. Mais Jehan n'eut pas le temps de tirer une seconde fois. La flèche brisée, Quasimodo souffla bruyamment, bondit comme une sauterelle et retomba sur l'écolier, dont l'armure s'aplatit du coup contre la muraille.

Alors, dans cette pénombre où flottait la lumière des torches, on entrevit une chose terrible.

Quasimodo avait pris de la main gauche les deux bras de Jehan qui ne se débattait pas, tant il se sentait perdu. De la droite le sourd lui détachait l'une après l'autre, en silence, avec une lenteur sinistre, toutes les pièces de son armure, l'épée, les poignards, le casque, la cuirasse, les brassards. On eût dit un singe qui épluche une noix. Quasimodo jetait à ses pieds, morceau à morceau, la coquille de fer de l'écolier.

Quand l'écolier se vit désarmé, déshabillé, faible et nu dans ces redoutables mains, il n'essaya pas de parler à ce sourd, mais il se mit à lui rire effrontément au visage, et à chanter, avec son intrépide insouciance d'enfant de seize ans, la chanson alors populaire :

> *Elle est bien babillée,*
> *La ville de Cambrai.*
> *Marafin l'a pillée...*

Il n'acheva pas. On vit Quasimodo debout sur le parapet de la galerie, qui d'une seule main tenait l'écolier par les pieds, en le faisant tourner sur l'abîme comme une fronde. Puis on entendit un bruit comme celui d'une boîte osseuse qui éclate contre un mur, et l'on vit tomber quelque chose qui s'arrêta au tiers de la chute à une saillie de l'architecture. C'était un corps mort qui resta accroché là, plié en deux, les reins brisés, le crâne vide.

Un cri d'horreur s'éleva parmi les truands.

« Vengeance ! cria Clopin. À sac ! répondit la multitude. Assaut ! assaut ! »

Alors ce fut un hurlement prodigieux où se mêlaient toutes les langues, tous les patois, tous les accents. La mort du pauvre écolier jeta une ardeur furieuse dans cette foule. La honte la prit, et la colère d'avoir été si longtemps tenue en échec devant une église par un bossu. La rage trouva des échelles, multiplia les torches, et au bout de quelques minutes Quasimodo éperdu vit cette épouvantable fourmilière monter de toutes parts à l'assaut de Notre-Dame. Aucun moyen de résister à cette marée ascendante de faces épouvantables. La fureur faisait rutiler ces figures farouches ; leurs fronts terreux ruisselaient de sueur, leurs yeux éclairaient. C'était comme une couche de monstres vivants sur les monstres de pierre de la façade.

4

Le retrait où dit ses heures
monsieur Louis de France

Le lecteur n'a peut-être pas oublié qu'un moment avant d'apercevoir `la bande nocturne des truands, Quasimodo, inspectant Paris du haut de son clocher, n'y voyait plus briller qu'une lumière, laquelle étoilait une vitre à l'étage le plus élevé d'un haut et sombre édifice, à côté de la porte Saint-Antoine. Cet édifice, c'était la Bastille. Cette étoile, c'était la chandelle de Louis XI.

Le roi Louis XI était en effet à Paris depuis deux jours. Il devait repartir le surlendemain pour sa citadelle de Montilz-lès-Tours.

Il était venu ce jour-là coucher à la Bastille. Ce roi bon bourgeois aimait mieux la Bastille avec une chambrette et une couchette. Et puis la Bastille était plus forte que le Louvre.

Cette *chambrette* que le roi s'était réservée dans la fameuse prison d'État était assez vaste et occupait l'étage le plus élevé d'une tourelle engagée dans le donjon.

Au moment où nous y avons introduit le lecteur, le couvre-feu était sonné depuis une heure, il faisait nuit, et il n'y avait qu'une vacillante chandelle de cire posée sur la table pour éclairer cinq personnages diversement groupés dans la chambre.

Le premier sur lequel tombait la lumière était un seigneur superbement vêtu d'un haut-de-chausses et d'un justaucorps écarlate rayé d'argent et d'une casaque à mahoîtres de drap d'or à dessins noirs. Ce splendide costume, où se jouait la lumière, semblait glacé de flamme à tous ses plis. L'homme qui le portait avait sur la poitrine ses armoires brodées de vives couleurs : un chevron accompagné en pointe d'un daim passant. L'écusson était accosté à droite d'un rameau d'olivier, à gauche d'une corne de daim. Cet homme portait à sa ceinture une riche dague dont la poignée de vermeil était ciselée en forme de cimier et surmontée d'une couronne comtale. Il avait l'air mauvais, la mine fière et la tête haute. Au premier coup d'œil on voyait sur son visage l'arrogance, au second la ruse : c'était Olivier le Daim.

Il se tenait tête nue, derrière la chaise à bras sur laquelle était assis, le corps disgracieusement plié en deux, les genoux chevauchant l'un sur l'autre, le coude sur la table, un personnage fort mal accoutré. Il tenait sa tête tellement courbée sur sa poitrine qu'on n'apercevait rien de son visage recouvert d'ombre, si ce n'est le bout de son nez sur lequel tombait un rayon de lumière, et qui devait être long. À la maigreur de sa main ridée on devinait un vieillard. C'était Louis XI.

À quelque distance derrière eux causaient à voix basse deux hommes vêtus à la coupe flamande, qui n'étaient pas assez perdus dans l'ombre pour que quelqu'un de ceux qui avaient assisté à la représentation du mystère Gringoire n'eût pu reconnaître en eux deux des principaux envoyés flamands, Guillaume Rym, le sagace pensionnaire de Gand, et Jacques Coppenole, le populaire chaussetier.

Enfin, tout au fond, près de la porte, se tenait debout dans l'obscurité, immobile comme une statue, un vigoureux homme à membres trapus, à harnois militaire, à casaque armoriée, dont la face carrée, percée d'yeux à fleur de tête, fendue d'une immense bouche, dérobant ses oreilles sous deux larges abat-vent de cheveux plats, sans front, tenait à la fois du chien et du tigre.

Tous étaient découverts, excepté le roi.

Le seigneur qui était auprès du roi lui faisait lecture d'une espèce de long mémoire que sa majesté semblait écouter avec attention.

Au moment où il achevait, la porte s'ouvrit et donna passage à un nouveau personnage, qui se précipita tout effaré dans la chambre en criant : « Sire ! sire ! il y a une sédition de populaire dans Paris ! »

La grave figure de Louis XI se contracta et il dit avec une sévérité tranquille :

« Compère Jacques Coictier, vous entrez bien brusquement ! Donc, monsieur, il y a une émotion de manants dans notre bonne ville de Paris ?

« — Oui, sire. Ce sont des marauds de la cour des Miracles. Le guet a saisi deux traînards de la bande. Si votre majesté veut voir ces hommes, ils sont là.

— Si je veux les voir ! cria le roi. Comment ! Pasque-Dieu ! tu oublies chose pareille ! Cours vite, toi, Olivier ! va les chercher. »

Maître Olivier sortit et rentra un moment après avec les deux prisonniers, environnés d'archers de l'ordonnance. Le premier avait une grosse face idiote, ivre et étonnée. Il était vêtu de guenilles et marchait en pliant le genou et en traînant le pied. Le second était une figure blême et souriante que le lecteur connaît déjà.

Le roi les examina un instant sans mot dire, puis, s'adressant brusquement au premier :

« Comment t'appelles-tu ?

— Gieffroy Pincebourde.

— Ton métier ?

— Truand. »

Un soldat montra au roi une serpe qu'on avait saisie sur le truand.

« Reconnais-tu cette arme ? demanda le roi.

— Oui, c'est ma serpe. Je suis vigneron.

— Et reconnais-tu cet homme pour ton compagnon ? ajouta Louis XI en désignant l'autre prisonnier.

— Non. Je ne le connais point.

— Il suffit », dit le roi. Et faisant un signe du doigt au personnage silencieux, immobile près de la porte, que nous avons déjà fait remarquer au lecteur :

« Compère Tristan, voilà un homme pour vous. »

Tristan l'Hermite s'inclina. Il donna un ordre à voix

basse à deux archers, qui emmenèrent le pauvre truand.

Cependant le roi s'était approché du second prisonnier, qui suait à grosses gouttes : « Ton nom ?

— Sire, Pierre Gringoire.

— Ton métier ?

— Philosophe, sire.

— Qu'as-tu à dire de cette émotion populaire ?

— Sire, je n'en étais pas.

— Or çà ! paillard, n'as-tu pas été appréhendé par le guet dans cette mauvaise compagnie ?

— Non, sire, il y a méprise. C'est une fatalité. Je fais des tragédies. Sire, je supplie votre majesté de m'entendre. Je suis poète. C'est la mélancolie des gens de ma profession d'aller la nuit par les rues. Je passais par là ce soir. C'est grand hasard. On m'a arrêté à tort. Je suis innocent de cette tempête civile. Votre majesté voit que le truand ne m'a pas reconnu. Je conjure votre majesté...

— Tais-toi ! dit le roi entre deux gorgées de tisane. Tu nous romps la tête. »

Tristan l'Hermite s'avança et, désignant Gringoire du doigt :

« Sire, peut-on pendre aussi celui-là ? »

C'était la première parole qu'il proférait.

« Peuh ! répondit négligemment le roi. Je n'y vois pas d'inconvénients.

— J'en vois beaucoup, moi ! » dit Gringoire.

Notre philosophe était en ce moment plus vert qu'une olive. Il vit à la mine froide et indifférente du roi qu'il n'y avait plus de ressource que dans quelque chose de très pathétique, et se précipita aux pieds de

Louis XI en s'écriant avec une gesticulation désespérée :

« Sire ! votre majesté daignera m'entendre. Sire ! n'éclatez pas en tonnerre sur si peu de chose que moi. La grande foudre de Dieu ne bombarde pas une laitue. Sire, vous êtes un auguste monarque très puissant, ayez pitié d'un pauvre homme honnête, et qui serait plus empêché d'attiser une révolte qu'un glaçon de donner une étincelle ! Faites-moi grâce, sire. Cela faisant, vous ferez une action galante à Notre-Dame, et je vous jure que je suis très effrayé de l'idée d'être pendu ! »

En parlant ainsi, le désolé Gringoire baisait les pantoufles du roi, et Guillaume Rym disait tout bas à Coppenole : « Il fait bien de se traîner à terre. Les rois sont comme le Jupiter de Crète, ils n'ont des oreilles qu'aux pieds. »

Quand Gringoire s'arrêta enfin, il leva la tête en tremblant vers le roi, qui grattait avec son ongle une tache que ses chausses avaient au genou. Puis sa majesté se mit à boire au hanap de tisane. Du reste, elle ne soufflait mot, et ce silence torturait Gringoire. Le roi le regarda enfin. « Voilà un terrible braillard ! » dit-il. Puis, se tournant vers Tristan l'Hermite : « Bah ! lâchez-le ! »

Gringoire tomba sur le derrière, tout épouvanté de joie.

« En liberté ! grogna Tristan. Votre majesté ne veut-elle pas qu'on le retienne un peu en cage ?

— Compère, repartit Louis XI, lâchez-moi incontinent le paillard, et mettez-le hors avec une bourrade !

— Ouf ! s'écria Gringoire, que voilà un grand roi ! »

Et, de peur d'un contre-ordre, il se précipita vers la porte, que Tristan lui rouvrit d'assez mauvaise grâce.

Le roi se leva, s'approcha de la fenêtre, et tout à coup, l'ouvrant avec une agitation extraordinaire :

« Oh ! s'écria-t-il, voilà une rougeur dans le ciel sur la Cité. »

Alors, se tournant vers les flamands : « Messieurs, venez voir ceci. N'est-ce pas un feu qui rougeoie ? »

Les deux Gantois s'approchèrent.

« Un grand feu, dit Guillaume Rym.

— Oh ! ajouta Coppenole, il doit y avoir une grosse révolte là-bas.

— Sire, dit Olivier, une sorcière a été condamnée à mort par votre cour de parlement. Elle s'est réfugiée dans Notre-Dame. Le peuple l'y veut reprendre de vive force. Monsieur le prévôt et monsieur le chevalier du guet, qui viennent de l'émeute, sont là pour me démentir si ce n'est pas la vérité. C'est Notre-Dame que le peuple assiège.

— Oui-da ! dit le roi à voix basse, tout pâle et tout tremblant de colère. Notre-Dame ! ils assiègent dans sa cathédrale Notre-Dame, ma bonne maîtresse ! C'est à moi qu'on s'attaque. La sorcière est sous la sauvegarde de l'église, l'église est sous ma sauvegarde. »

Alors, rajeuni par la fureur, il se mit à marcher à grands pas. Il ne riait plus, il était terrible, il allait et venait, il semblait suffoqué à ne pouvoir parler, ses lèvres remuaient, et ses poings décharnés se crispaient. Tout à coup il releva la tête, son œil cave parut plein de lumière, et sa voix éclata comme un clairon. « Main basse, Tristan ! main basse sur ces coquins ! Va, Tristan mon ami ! tue ! tue ! »

Cette éruption passée, il vint se rasseoir, et dit avec une rage froide et concentrée :

« Ici, Tristan ! Il y a près de nous dans cette Bastille les cinquante lances du vicomte de Gif, ce qui fait trois cents chevaux, vous les prendrez. Il y a aussi la compagnie des archers de notre ordonnance de M. de Châteaupers, vous la prendrez. Vous êtes prévôt des maréchaux, vous avez des gens de votre prévôté, vous les prendrez. À l'hôtel Saint-Pol, vous trouverez quarante archers de la nouvelle garde de monsieur le Dauphin, vous les prendrez ; et avec tout cela, vous allez courir à Notre-Dame. Ah ! messieurs les manants de Paris, vous vous jetez ainsi tout au travers de la couronne de France, de la sainteté de Notre-Dame et de la paix de cette république ! Extermine, Tristan ! extermine ! et que pas un n'en réchappe que pour Montfaucon. »

Tristan s'inclina. « C'est bon, sire ! »

Il ajouta après un silence : « Et que ferai-je de la sorcière ? »

Cette question fit songer le roi.

« Ah ! dit-il, la sorcière ! Monsieur d'Estouteville, qu'est-ce que le peuple en voulait faire ?

— Sire, répondit le prévôt de Paris, j'imagine que, puisque le peuple la vient arracher de son asile de Notre-Dame, c'est que cette impunité le blesse et qu'il veut la pendre. »

Le roi parut réfléchir profondément, puis, s'adressant à Tristan l'Hermite : « Eh bien ! mon compère, extermine le peuple et pends la sorcière.

— C'est cela, dit tout bas Rym à Coppenole, punir le peuple de vouloir, et faire ce qu'il veut.

— Il suffit, sire, répondit Tristan. Si la sorcière est encore dans Notre-Dame, faudra-t-il l'y prendre malgré l'asile ?

— Pasque-Dieu, l'asile ! dit le roi en se grattant l'oreille. Il faut pourtant que cette femme soit pendue. »

Ici, comme pris d'une idée subite, il se rua à genoux devant sa chaise, ôta son chapeau, le posa sur le siège, et regardant dévotement l'une des amulettes de plomb qui le chargeaient : « Oh, dit-il les mains jointes. Notre-Dame de Paris, ma gracieuse patronne, pardonnez-moi. Je ne le ferai que cette fois. Il faut punir cette criminelle. Je vous assure, madame la Vierge, ma bonne maîtresse, que c'est une sorcière qui n'est pas digne de votre aimable protection. Pardonnez-moi donc pour cette fois, Notre-Dame de Paris. Je ne le ferai plus, et je vous donnerai une belle statue d'argent, pareille à celle que j'ai donnée l'an passé à Notre-Dame d'Ecouys. Ainsi soit-il. »

Il fit un signe de croix, se releva, se recoiffa, et dit à Tristan :

« Faites diligence, mon compère. Prenez M. de Châteaupers avec vous. Vous ferez sonner le tocsin. Vous écraserez le populaire. Vous pendrez la sorcière. C'est dit. Et j'entends que le pourchas de l'exécution soit fait par vous. Vous m'en rendrez compte. Allons, Olivier, je ne me coucherai pas cette nuit. Rase-moi. »

Tristan l'Hermite s'inclina et sortit. Alors le roi,

congédiant du geste Rym et Coppenole : « Dieu vous garde, messieurs mes bons amis les flamands. Allez prendre un peu de repos. La nuit s'avance, et nous sommes plus près du matin que du soir. »

Tous deux se retirèrent, et en gagnant leurs appartements sous la conduite du capitaine de la Bastille, Coppenole disait à Guillaume Rym :

« Hum ! j'en ai assez de ce roi qui tousse ! J'ai vu Charles de Bourgogne ivre, il était moins méchant que Louis XI malade.

— Maître Jacques, répondit Rym, c'est que les rois ont le vin moins cruel que la tisane. »

5

Petite flamme en baguenaud

En sortant de la Bastille, Gringoire descendit la rue
Saint-Antoine de la vitesse d'un cheval échappé.
Arrivé à la porte Baudoyer, il marcha droit à la croix
de pierre qui se dressait au milieu de cette place,
comme s'il eût pu distinguer dans l'obscurité la figure
d'un homme vêtu et encapuchonné de noir qui était
assis sur les marches de la croix.

« Est-ce vous, maître ? » dit Gringoire.

Le personnage noir se leva.

« Mort et passion ! vous me faites bouillir, Gringoire. L'homme qui est sur la tour de Saint-Gervais
vient de crier une heure et demie du matin.

— Oh ! repartit Gringoire, ce n'est pas ma faute,
mais celle du guet et du roi. Je viens de l'échapper
belle ! Je manque toujours d'être pendu. C'est ma
prédestination.

« — Tu manques tout, dit l'autre. Mais allons vite. As-tu le mot de passe des truands ?

— Je l'ai. Soyez tranquille. *Petite flamme en baguenaud.*

— Bien. Autrement nous ne pourrions pénétrer jusqu'à l'église. Les truands barrent les rues. Heureusement il paraît qu'ils ont trouvé de la résistance. Nous arriverons peut-être encore à temps.

— Oui, maître. Mais comment entrerons-nous dans Notre-Dame ?

— J'ai la clef des tours.

— Et comment en sortirons-nous ?

— Il y a derrière le cloître une petite porte qui donne sur le Terrain, et de là sur l'eau. J'en ai pris la clef, et j'y ai amarré un bateau ce matin. »

Tous deux descendirent à grands pas vers la Cité.

6

Châteaupers à la rescousse !

Le lecteur se souvient peut-être de la situation critique
où nous avons laissé Quasimodo. Le brave sourd,
assailli de toutes parts, avait perdu, sinon tout courage, du moins tout espoir de sauver, non pas lui, il
ne songeait pas à lui, mais l'égyptienne. Il courait
éperdu sur la galerie. Notre-Dame allait être enlevée
par les truands. Tout à coup un grand galop de chevaux emplit les rues voisines, et, avec une longue file
de torches et une épaisse colonne de cavaliers abattant
lances et brides, ces bruits furieux débouchèrent sur
la place comme un ouragan : « France ! France ! Tail-
lez les manants ! Châteaupers à la rescousse ! Prévôté ! prévôté ! »

Les truands, effarés, firent volte-face.

Quasimodo, qui n'entendait pas, vit les épées nues,
les flambeaux, les fers de piques, toute cette cavalerie,

en tête de laquelle il reconnut le capitaine Phœbus, il vit la confusion des truands, l'épouvante chez les uns, le trouble chez les meilleurs, et il reprit de ce secours inespéré tant de force qu'il rejeta hors de l'église les premiers assaillants qui enjambaient déjà la galerie.

C'étaient en effet les troupes du roi qui survenaient.

Les truands firent bravement. Ils se défendirent en désespérés. Pris en flanc par la rue Saint-Pierre-aux-Bœufs et en queue par la rue du Parvis, acculés à Notre-Dame qu'ils assaillaient encore et que défendait Quasimodo.

Cependant les croisées s'étaient rouvertes. Les voisins, entendant les cris de guerre des gens du roi, s'étaient mêlés à l'affaire, et de tous les étages les balles pleuvaient sur les truands. Le Parvis était plein d'une fumée épaisse que la mousqueterie rayait de feu. On y distinguait confusément la façade de Notre-Dame, et l'Hôtel-Dieu décrépit, avec quelques hâves malades qui regardaient du haut de son toit écaillé de lucarnes.

Enfin les truands cédèrent. La lassitude, le défaut de bonnes armes, l'effroi de cette surprise, la mousqueterie des fenêtres, le brave choc des gens du roi, tout les abattit. Ils forcèrent la ligne des assaillants et se mirent à fuir dans toutes les directions, laissant dans le Parvis un encombrement de morts.

Quand Quasimodo, qui n'avait pas cessé un moment de combattre, vit cette déroute, il tomba à deux genoux et leva les mains au ciel ; puis, ivre de joie, il courut, il monta avec la vitesse d'un oiseau à cette cellule dont il avait si intrépidement défendu les approches. Il n'avait plus qu'une pensée maintenant, c'était de s'agenouiller devant celle qu'il venait de sauver une seconde fois.

Lorsqu'il entra dans la cellule, il la trouva vide.

LIVRE NEUVIÈME

1

Le petit soulier

Au moment où les truands avaient assailli l'église, la Esmeralda dormait.

Bientôt la rumeur toujours croissante autour de l'édifice et le bêlement inquiet de sa chèvre éveillée avant elle l'avaient tirée de ce sommeil. Elle s'était levée sur son séant, elle avait écouté, elle avait regardé, puis, effrayée de la lueur et du bruit, elle s'était jetée hors de la cellule et avait été voir. L'aspect de la place, la vision qui s'y agitait, le désordre de cet assaut nocturne, cette foule hideuse, sautelante comme une nuée de grenouilles, ces quelques torches rouges courant et se croisant sur cette ombre, toute cette scène lui fit l'effet d'une mystérieuse bataille engagée entre les fantômes du sabbat et les monstres de pierre de l'église. Imbue dès l'enfance des superstitions de la tribu bohémienne, sa première pensée fut qu'elle avait surpris en maléfice les étranges êtres propres à la nuit.

Alors elle courut épouvantée se tapir dans sa cellule, demandant à son grabat un moins horrible cauchemar.

Peu à peu les premières fumées de la peur s'étaient pourtant dissipées. Alors sa frayeur, sans s'accroître, s'était transformée. Elle avait songé à la possibilité d'une mutinerie populaire pour l'arracher de son asile. L'idée de reperdre encore une fois la vie, l'espérance, Phœbus, qu'elle entrevoyait toujours dans son avenir, le profond néant de sa faiblesse, toute fuite fermée, aucun appui, son abandon, son isolement, ces pensées et mille autres l'avaient accablée. Elle était tombée à genoux, la tête sur son lit.

Elle resta ainsi prosternée fort longtemps, glacée au souffle de plus en plus rapproché de cette multitude furieuse, ne comprenant rien à ce déchaînement, ignorant ce qui se tramait, ce qu'on faisait, ce qu'on voulait, mais pressentant une issue terrible.

Voilà qu'au milieu de cette angoisse elle entend marcher près d'elle. Elle se détourne. Deux hommes, dont l'un portait une lanterne, venaient d'entrer dans sa cellule. Elle poussa un faible cri.

« Ne craignez rien, dit une voix qui ne lui était pas inconnue, c'est moi.

— Qui ? vous ? demanda-t-elle.

— Pierre Gringoire. »

Ce nom la rassura. Elle releva les yeux, et reconnut en effet le poète. Mais il y avait auprès de lui une figure noire et voilée de la tête aux pieds qui la frappa de silence.

« Ah ! reprit Gringoire d'un ton de reproche, Djali m'avait reconnu avant vous ! »

La petite chèvre en effet n'avait pas attendu que Gringoire se nommât. À peine était-il entré qu'elle s'était tendrement frottée à ses genoux, couvrant le poète de caresses et de poils blancs, car elle était en mue. Gringoire lui rendait les caresses.

« Qui est là avec vous ? dit l'égyptienne à voix basse.

— Soyez tranquille, répondit Gringoire. C'est un de mes amis. Votre vie est en danger, et celle de Djali. On veut vous repandre. Nous sommes vos amis, et nous venons vous sauver. Suivez-nous.

— Est-il vrai ? s'écria-t-elle bouleversée.

— Oui, très vrai. Venez vite !

— Je le veux bien, balbutia-t-elle. Mais pourquoi votre ami ne parle-t-il pas ?

— Ah ! dit Gringoire, c'est que son père et sa mère étaient des gens fantasques qui l'ont fait de tempérament taciturne. »

Il fallut qu'elle se contentât de cette explication. Gringoire la prit par la main, son compagnon ramassa la lanterne et marcha devant. La peur étourdissait la jeune fille. Elle se laissa emmener. La chèvre les suivait en sautant, si joyeuse de revoir Gringoire qu'elle le faisait trébucher à tout moment pour lui fourrer ses cornes dans les jambes.

Ils descendirent rapidement l'escalier des tours, traversèrent l'église, pleine de ténèbres et de solitude et toute résonnante de vacarme, ce qui faisait un affreux contraste, et sortirent dans la cour du cloître par la Porte-Rouge. Le cloître était abandonné, les chanoines s'étaient enfuis dans l'évêché pour y prier en commun. Ils se dirigèrent vers la petite porte qui donnait de cette cour sur le Terrain. L'homme noir l'ouvrit avec une clef qu'il avait. Le Terrain était une langue de terre enclose de murs du côté de la Cité, et appartenant au chapitre de Notre-Dame, qui terminait l'île à l'orient derrière l'église. Ils trouvèrent cet enclos parfaitement désert. Le vent frais qui suit le fil de l'eau remuait les feuilles de l'arbre unique planté à la pointe du Terrain.

L'homme à la lanterne marcha droit à la pointe du Terrain. Il y avait là, au bord extrême de l'eau, le débris vermoulu d'une haie de pieux. Derrière, dans l'ombre que faisait ce treillis, une petite barque était cachée. L'homme fit signe à Gringoire et à sa compagne d'y entrer. La chèvre les y suivit. L'homme y descendit le dernier. Puis il coupa l'amarre du bateau, l'éloigna de terre avec un long croc, et, saisissant deux rames, s'assit à l'avant, en ramant de toutes ses forces vers le large. La Seine est fort rapide en cet endroit et il eut assez de peine à quitter la pointe de l'île.

Le premier soin de Gringoire en entrant dans le bateau fut de mettre la chèvre sur ses genoux. Il prit place à l'arrière, et la jeune fille, à qui l'inconnu inspirait une inquiétude indéfinissable, vint s'asseoir et se serrer contre le poète.

Le bateau voguait lentement vers la rive droite. La jeune fille observait avec une terreur secrète l'inconnu. Il avait rebouché soigneusement la lumière de sa lanterne sourde. On l'entrevoyait dans l'obscurité, à l'avant du bateau, comme un spectre. Sa carapoue, toujours baissée, lui faisait une sorte de masque, et à chaque fois qu'il entr'ouvrait en ramant ses bras où pendaient de larges manches noires, on eût dit deux grandes ailes de chauve-souris. Du reste, il n'avait pas encore dit une parole, jeté un souffle. Il ne se faisait dans le bateau d'autre bruit que le va-et-vient de la rame, mêlé au froissement des mille plis de l'eau le long de la barque.

L'homme noir continuait de lutter contre le courant violent et serré qui sépare la proue de la Cité de la poupe de l'île Notre-Dame, que nous nommons aujourd'hui l'île Saint-Louis.

« À propos, maître ! dit Gringoire subitement. Au moment où nous arrivions sur le parvis à travers ces enragés truands, votre révérence a-t-elle remarqué ce pauvre petit diable auquel votre sourd était en train d'écraser la cervelle sur la rampe de la galerie des rois ? J'ai la vue basse et ne l'ai pu reconnaître. Savez-vous qui ce peut être ? »

L'inconnu ne répondit pas une parole. Mais il cessa brusquement de ramer, ses bras défaillirent comme brisés, sa tête tomba sur sa poitrine, et la Esmeralda l'entendit soupirer convulsivement. Elle tressaillit de son côté. Elle avait déjà entendu de ces soupirs-là.

La barque abandonnée à elle-même dériva quelques instants au gré de l'eau. Mais l'homme noir se redressa enfin, ressaisit les rames, et se remit à remonter le courant. Il doubla la pointe de l'île Notre-Dame et se dirigea vers le débarcadère du Port-au-Foin.

Le tumulte croissait autour de Notre-Dame. Ils écoutèrent. On entendait assez clairement des cris de victoire. Tout à coup, cent flambeaux qui faisaient étinceler des casques d'hommes d'armes se répandirent sur l'église à toutes les hauteurs, sur les tours, sur les galeries, sous les arcs-boutants. Ces flambeaux semblaient chercher quelque chose ; et bientôt ces clameurs éloignées arrivèrent distinctement jusqu'aux fugitifs : « L'égyptienne ! la sorcière ! à mort l'égyptienne ! »

La malheureuse laissa tomber sa tête sur ses mains, et l'inconnu se mit à ramer avec furie vers le bord. Cependant notre philosophe réfléchissait. Il pressait la chèvre dans ses bras, et s'éloignait tout doucement de la bohémienne, qui se serrait de plus en plus contre lui, comme au seul asile qui lui restât.

Il est certain que Gringoire était dans une cruelle perplexité. Il songeait que la chèvre aussi, *d'après la législation existante*, serait pendue si elle était reprise, que ce serait grand dommage, la pauvre Djali ! qu'il avait trop de deux condamnées ainsi accrochées après lui, qu'enfin son compagnon ne demandait pas mieux que de se charger de l'égyptienne.

Une secousse les avertit enfin que le bateau abordait. Le brouhaha sinistre remplissait toujours la Cité. L'inconnu se leva, vint à l'égyptienne, et voulut lui prendre le bras pour l'aider à descendre. Elle le repoussa, et se pendit à la manche de Gringoire, qui, de son côté, occupé de la chèvre, la repoussa presque. Alors elle sauta seule à bas du bateau. Elle était si troublée qu'elle ne savait ce qu'elle faisait, où elle allait. Elle demeura ainsi un moment stupéfaite, regardant couler l'eau. Quand elle revint un peu à elle, elle était seule sur le port avec l'inconnu. Il paraît que Gringoire avait profité de l'instant du débarquement pour s'esquiver avec la chèvre dans le pâté de maisons de la rue Grenier-sur-l'Eau.

La pauvre égyptienne frissonna de se voir seule avec

cet homme. Tout à coup elle sentit la main de l'inconnu sur la sienne. C'était une main froide et forte. Ses dents claquèrent, elle devint plus pâle que le rayon de lune qui l'éclairait. L'homme ne dit pas une parole. Il se mit à remonter à grands pas vers la place de Grève, en la tenant par la main. En cet instant, elle sentit vaguement que la destinée est une force irrésistible. Elle n'avait plus de ressort, elle se laissa entraîner, courant tandis qu'il marchait. Le quai en cet endroit allait en montant. Il lui semblait cependant qu'elle descendait une pente.

Elle regarda de tous côtés. Pas un passant. Le quai était absolument désert.

Cependant l'inconnu l'entraînait toujours avec le même silence et la même rapidité. Elle ne retrouvait dans sa mémoire aucun des lieux où elle marchait. En passant devant une fenêtre éclairée, elle fit un effort, se raidit brusquement, et cria : « Au secours ! »

Le bourgeois à qui était la fenêtre l'ouvrit, y parut en chemise avec sa lampe, regarda sur le quai avec un air hébété, prononça quelques paroles qu'elle n'entendit pas et referma son volet. C'était la dernière lueur d'espoir qui s'éteignait.

L'homme noir ne proféra pas une syllabe, il la tenait bien, et se remit à marcher plus vite. Elle ne résista plus et le suivit, brisée.

De temps en temps elle recueillait un peu de force, et disait d'une voix entrecoupée par les cahots du pavé et l'essoufflement de la course : « Qui êtes-vous ? qui êtes-vous ? » Il ne répondait point.

Ils arrivèrent ainsi, toujours le long du quai, à une place assez grande. Il y avait un peu de lune. C'était la Grève. On distinguait au milieu une espèce de croix noire debout. C'était le gibet. Elle reconnut tout cela et vit où elle était.

L'homme s'arrêta, se tourna vers elle et leva sa carapoue. « Oh ! bégaya-t-elle pétrifiée, je savais bien que c'était encore lui ! »

C'était le prêtre.

« Écoute », lui dit-il ; et elle frémit au son de cette voix funeste qu'elle n'avait pas entendue depuis long-temps. Il continua. « Nous sommes ici. Je vais te par-ler. Ceci est la Grève. C'est ici un point extrême. La destinée nous livre l'un à l'autre. Je vais décider de ta vie ; toi, de mon âme. Écoute-moi donc. D'abord ne me parle pas de ton Phœbus. Vois-tu ? si tu pro-nonces ce nom, je ne sais pas ce que je ferai, mais ce sera terrible. »

Sa voix était de plus en plus basse.

« Ne détourne point la tête ainsi. Écoute-moi. C'est une affaire sérieuse. Il y a un arrêt du parlement qui te rend à l'échafaud. Je viens de te tirer de leurs mains. Mais les voilà qui te poursuivent. Regarde. »

Il étendit le bras vers la Cité. Les perquisitions en effet paraissaient y continuer. Les rumeurs se rappro-chaient. La tour de la maison du Lieutenant[1], située vis-à-vis la Grève, était pleine de bruit et de clartés, et l'on voyait des soldats courir sur le quai opposé, avec des torches et ces cris : « L'égyptienne ! où est l'égyptienne ? Mort ! mort ! »

« Tu vois bien qu'ils te poursuivent, et que je ne te

---

1. Le lieutenant civil du prévôt de Paris chargé de la police.

mens pas. Moi, je t'aime. N'ouvre pas la bouche, ne me parle plutôt pas, si c'est pour me dire que tu me hais. Je suis décidé à ne plus entendre cela. Je viens de te sauver. J'ai tout préparé. C'est à toi de vouloir. Comme tu voudras, je pourrai. »

Et courant, et la faisant courir, car il ne la lâchait pas, il marcha droit au gibet et, le lui montrant du doigt :

« Choisis entre nous deux », dit-il froidement.

Elle s'arracha de ses mains et tomba au pied du gibet en embrassant cet appui funèbre. Puis elle tourna sa belle tête à demi, et regarda le prêtre par-dessus son épaule.

Enfin l'égyptienne lui dit : « Il me fait encore moins horreur que vous. »

Alors il laissa retomber lentement son bras, et regarda le pavé avec un profond accablement. « Si ces pierres pouvaient parler, murmura-t-il, oui, elles diraient que voilà un homme bien malheureux. » Puis il marcha à pas rapides vers l'angle de la Tour-Roland, en la traînant après lui sur le pavé par ses belles mains.

Arrivé là, il s'écria d'une voix haute :

« Gudule ! Gudule ! voici l'égyptienne ! venge-toi ! »

La jeune fille se sentit saisir brusquement au coude. Elle regarda. C'était un bras décharné qui sortait d'une lucarne dans le mur et qui la tenait comme une main de fer.

« Tiens bien ! dit le prêtre. C'est l'égyptienne échappée. Ne la lâche pas. Je vais chercher les sergents. Tu la verras pendre. »

Un rire guttural répondit de l'intérieur du mur à

ces sanglantes paroles. « Hah ! hah ! hah ! » L'égyptienne vit le prêtre s'éloigner en courant dans la direction du pont Notre-Dame. On entendait une cavalcade de ce côté.

La jeune fille avait reconnu la méchante recluse. Haletante de terreur, elle essaya de se dégager. Elle se tordit, elle fit plusieurs soubresauts d'agonie et de désespoir, mais l'autre la tenait avec une force inouïe.

Épuisée, elle retomba contre la muraille, et alors la crainte de la mort s'empara d'elle. Elle songea à la beauté de la vie, à la jeunesse, à la vue du ciel, aux aspects de la nature, à l'amour, à Phœbus, à tout ce qui s'enfuyait et à tout ce qui s'approchait, au prêtre qui la dénonçait, au bourreau qui allait venir, au gibet qui était là. Alors elle sentit l'épouvante lui monter jusque dans les racines des cheveux, et elle entendit le rire lugubre de la recluse qui lui disait tout bas : « Hah ! hah ! hah ! tu vas être pendue ! »

Elle se tourna mourante vers la lucarne et elle vit la figure fauve de la sachette à travers les barreaux.

« Que vous ai-je fait ? » dit-elle, presque inanimée.

La recluse ne répondit pas, elle se mit à marmotter avec une intonation chantante, irritée et railleuse : « Fille d'Égypte ! fille d'Égypte ! fille d'Égypte ! »

La malheureuse Esmeralda laissa retomber sa tête sous ses cheveux, comprenant qu'elle n'avait pas affaire à un être humain.

Tout à coup la recluse s'écria, comme si la question de l'égyptienne avait mis tout ce temps pour arriver jusqu'à sa pensée :

« Ce que tu m'as fait ? dis-tu. Ah ! ce que tu m'as fait, égyptienne ! Eh bien ! écoute. J'avais un enfant, moi ! vois-tu ? j'avais un enfant ! un enfant, te dis-je. Une jolie petite fille ! Mon Agnès, reprit-elle égarée et baisant quelque chose dans les ténèbres. Eh bien ! vois-tu, fille d'Égypte ? On m'a pris mon enfant, on m'a volé mon enfant, on m'a mangé mon enfant. Voilà ce que tu m'as fait. »

Alors elle se mit à rire ou à grincer des dents, les deux choses se ressemblaient sur cette figure furieuse. Le jour commençait à poindre. Un reflet de cendre éclairait vaguement cette scène, et le gibet devenait de plus en plus distinct dans la place. De l'autre côté, vers le pont Notre-Dame, la pauvre condamnée croyait entendre se rapprocher le bruit de la cavalerie.

« Madame ! cria-t-elle, joignant les mains et tombée sur ses deux genoux, échevelée, éperdue, folle d'effroi, madame ! ayez pitié. Ils viennent. Je ne vous ai rien fait. Voulez-vous me voir mourir de cette horrible façon sous vos yeux ? Vous avez de la pitié, j'en suis sûre. C'est trop affreux. Laissez-moi me sauver. Lâchez-moi ! Grâce ! Je ne veux pas mourir comme cela !

— Rends-moi mon enfant ! dit-elle.

— Grâce ! grâce !

— Rends-moi mon enfant !

— Hélas ! bégaya-t-elle, vous cherchez votre enfant. Moi, je cherche mes parents.

— Rends-moi ma petite Agnès ! poursuivit Gudule. Tu ne sais pas où elle est ? Alors meurs ! Je vais te dire, j'avais un enfant, on m'a pris mon enfant. Ce sont les égyptiennes. Tu vois bien qu'il faut que tu meures. Quand ta mère l'égyptienne viendra te réclamer, je lui dirai : La mère, regarde à ce gibet ! Tiens, que je te

321

montre. Voilà son soulier, tout ce qui m'en reste. Sais-tu où est le pareil ? Si tu le sais, dis-le-moi et si ce n'est qu'à l'autre bout de la terre, je l'irai chercher en marchant sur les genoux. »

En parlant ainsi, de son autre bras tendu hors de la lucarne elle montrait à l'égyptienne le petit soulier brodé. Il faisait déjà assez jour pour en distinguer la forme et les couleurs.

« Montrez-moi ce soulier, dit l'égyptienne en tressaillant. Dieu ! Dieu ! »

Et en même temps, de la main qu'elle avait libre, elle ouvrait vivement le petit sachet orné de verroterie verte qu'elle portait au cou.

« Va ! va ! grommelait Gudule, fouille ton amulette du démon ! »

Tout à coup elle s'interrompit, trembla de tout son corps et cria avec une voix qui venait du plus profond des entrailles : « Ma fille ! »

L'égyptienne venait de tirer du sachet un petit soulier absolument pareil à l'autre. À ce petit soulier était attaché un parchemin sur lequel ce *carme*[1] était écrit :

> *Quand le pareil retrouveras,*
> *Ta mère te tendra les bras.*

En moins de temps qu'il n'en faut à l'éclair, la recluse avait confronté les deux souliers, lu l'inscription du parchemin, et collé aux barreaux de la lucarne son visage rayonnant d'une joie céleste en criant :

---

1. Charme, formule magique.

« Ma fille ! ma fille !

— Ma mère ! » répondit l'égyptienne.

Ici nous renonçons à peindre.

Le mur et les barreaux de fer étaient entre elles deux. « Oh ! le mur ! cria la recluse. Oh ! la voir et ne pas l'embrasser ! Ta main ! ta main ! »

La jeune fille lui passa son bras à travers la lucarne, la recluse se jeta sur cette main, y attacha ses lèvres, et y demeura, abîmée dans ce baiser, ne donnant plus d'autre signe de vie qu'un sanglot.

Tout à coup, elle se releva, écarta ses longs cheveux gris de dessus son front, et, sans dire une parole, se mit à ébranler de ses deux mains les barreaux de sa loge plus furieusement qu'une lionne. Les barreaux tinrent bon. Alors elle alla chercher dans un coin de sa cellule un gros pavé qui lui servait d'oreiller, et le lança contre eux avec tant de violence qu'un des barreaux se brisa en jetant mille étincelles. Un second coup effondra tout à fait la vieille croix de fer qui barricadait la lucarne. Alors avec ses deux mains elle acheva de rompre et d'écarter les tronçons rouillés des barreaux. Il y a des moments où les mains d'une femme ont une force surhumaine.

Le passage frayé, et il fallut moins d'une minute pour cela, elle saisit sa fille par le milieu du corps et la tira dans sa cellule. « Viens ! que je te repêche de l'abîme ! » murmurait-elle.

Quand sa fille fut dans la cellule, elle la posa doucement à terre puis la reprit et, la portant dans ses bras comme si ce n'était toujours que sa petite Agnès, elle allait et venait dans l'étroite loge, ivre, forcenée, joyeuse, criant, chantant, baisant sa fille, lui parlant, éclatant de rire, fondant en larmes, le tout à la fois et avec emportement.

« Ma fille ! ma fille ! disait-elle. J'ai ma fille ! la voilà. Le bon Dieu me l'a rendue. Seigneur Jésus, qu'elle est belle ! Vous me l'avez fait attendre quinze ans, mon bon Dieu, mais c'était pour me la rendre belle. Les égyptiennes ne l'avaient donc pas mangée ! C'est bien toi. C'est donc cela que le cœur me sautait chaque fois que tu passais. Moi qui prenais cela pour de la haine ! Pardonne-moi, mon Agnès, pardonne-moi. Tu m'as trouvée bien méchante, n'est-ce pas ? Je t'aime. »

Elle lui lissait sa chevelure de soie avec la main, lui baisait le pied, le genou, le front, les yeux, s'extasiait de tout. La jeune fille se laissait faire, en répétant par intervalles très bas et avec une douceur infinie : « Ma mère !

— Vois-tu, ma petite fille, reprenait la recluse en entrecoupant tous ses mots de baisers, vois-tu, je t'aimerai bien. Nous nous en irons d'ici. Nous allons être bien heureuses. J'ai hérité quelque chose à Reims, dans notre pays. Nous aurons un champ, une maison. Je te coucherai dans mon lit. Mon Dieu ! mon Dieu ! qui est-ce qui croirait cela ? j'ai ma fille !

— Ô ma mère ! dit la jeune fille trouvant enfin la force de parler dans son émotion, l'égyptienne me l'avait bien dit. Il y a une bonne égyptienne des nôtres qui est morte l'an passé et qui avait toujours eu soin de moi comme une nourrice. C'est elle qui m'avait mis ce sachet au cou. Elle me disait toujours : "Petite, garde bien ce bijou. C'est un trésor. Il te fera retrouver ta mère. Tu portes ta mère à ton cou." Elle l'avait prédit, l'égyptienne ! »

La sachette serra de nouveau sa fille dans ses bras.

En ce moment la logette retentit d'un cliquetis d'armes et d'un galop de chevaux qui semblait déboucher du pont Notre-Dame et s'avancer de plus en plus sur le quai. L'égyptienne se jeta avec angoisse dans les bras de la sachette.

« Sauvez-moi ! sauvez-moi ! ma mère ! les voilà qui viennent ! »

La recluse devint pâle.

« Ô ciel ! que dis-tu là ? J'avais oublié ! on te poursuit ! Qu'as-tu donc fait ?

— Je ne sais pas, répondit la malheureuse enfant, mais je suis condamnée à mourir.

— Mourir ! dit Gudule chancelant comme sous un coup de foudre.

— Oui, ma mère, reprit la jeune fille éperdue, ils veulent me tuer. Voilà qu'on vient me prendre. Cette potence est pour moi ! Sauvez-moi ! sauvez-moi ! Ils arrivent ! sauvez-moi ! »

Ici la cavalcade parut s'arrêter, et l'on entendit une voix éloignée qui disait : « Par ici, messire Tristan ! Le prêtre dit que nous la trouverons au Trou-aux-Rats. » Le bruit de chevaux recommença.

La recluse se dressa debout avec un cri désespéré. « Sauve-toi ! sauve-toi, mon enfant ! Tout me revient. Tu as raison. C'est ta mort ! Horreur ! malédiction ! Sauve-toi ! »

Elle mit la tête à la lucarne, et la retira vite.

« Reste, dit-elle d'une voix basse, brève et lugubre, en serrant convulsivement la main de l'égyptienne plus morte que vive. Reste ! ne souffle pas ! Il y a des soldats partout. Tu ne peux sortir. Il fait trop de jour. »

Ses yeux étaient secs et brûlants. Elle resta un moment sans parler.

Tout à coup elle dit : « Ils approchent. Je vais leur parler. Cache-toi dans ce coin. Ils ne te verront pas. Je leur dirai que tu t'es échappée, que je t'ai lâchée, ma foi ! »

Elle lui dénoua ses cheveux noirs qu'elle répandit sur sa robe blanche pour la masquer, mit devant elle sa cruche et son pavé, les seuls meubles qu'elle eût, s'imaginant que cette cruche et ce pavé la cacheraient. Et quand ce fut fini, plus tranquille, elle se mit à genoux et pria. Le jour qui ne faisait que de poindre laissait encore beaucoup de ténèbres dans le Trou-aux-Rats.

En cet instant, la voix du prêtre passa très près de la cellule en criant : « Par ici, capitaine Phœbus de Châteaupers ! »

À ce nom, à cette voix, la Esmeralda, tapie dans son coin, fit un mouvement.

« Ne bouge pas ! » dit Gudule.

Elle achevait à peine qu'un tumulte d'hommes, d'épées et de chevaux s'arrêta autour de la cellule. La mère se leva bien vite et s'alla poster devant la lucarne pour la boucher. Elle vit une grande troupe d'hommes armés, de pied et de cheval, rangée sur la Grève. Celui qui les commandait mit pied à terre et vint vers elle.

« La vieille ! dit cet homme qui avait une figure atroce, nous cherchons une sorcière pour la pendre. On nous a dit que tu l'avais. »

La pauvre mère prit l'air le plus indifférent qu'elle put et répondit :

« Je ne sais pas trop ce que vous voulez dire. »

L'autre reprit : « Tête-Dieu ! que chantait donc cet effaré d'archidiacre ? Où est-il ?

— Monseigneur, dit un soldat, il a disparu.

— Or çà, la vieille folle, repartit le commandant, ne me mens pas. On t'a donné une sorcière à garder. Qu'en as-tu fait ? »

La recluse ne voulut pas tout nier, de peur d'éveiller des soupçons, et répondit d'un accent sincère et bourru :

« Si vous parlez d'une grande jeune fille qu'on m'a accrochée aux mains tout à l'heure, je vous dirai qu'elle m'a mordue et que je l'ai lâchée. Voilà. Laissez-moi en repos. »

Le commandant fit une grimace désappointée.

« Ne va pas me mentir, vieux spectre, reprit-il. Je m'appelle Tristan l'Hermite et je suis le compère du roi. Tristan l'Hermite, entends-tu ? » Il ajouta, en regardant la place de Grève autour de lui : « C'est un nom qui a de l'écho ici.

— Vous seriez Satan l'Hermite, répliqua Gudule qui reprenait espoir, que je n'aurais pas autre chose à vous dire et que je n'aurais pas peur de vous.

— Tête-Dieu ! dit Tristan, voilà une commère ! Ah ! la fille sorcière s'est sauvée ! et par où a-t-elle pris ? » Gudule répondit d'un ton insouciant :

« Par la rue du Mouton, je crois. »

Tristan tourna la tête et fit signe à sa troupe de se préparer à se remettre en marche. La recluse respira.

« Monseigneur, dit tout à coup un archer, demandez donc à la vieille fée pourquoi les barreaux de sa lucarne sont défaits de la sorte. »

Cette question fit rentrer l'angoisse au cœur de la misérable mère. Elle ne perdit pourtant pas toute présence d'esprit. « Ils ont toujours été ainsi, bégaya-t-elle.

— Bah ! reprit l'archer, hier encore ils faisaient une belle croix noire qui donnait de la dévotion. »

Tristan jeta un regard oblique à la recluse.

« Je crois que la commère se trouble ! »

L'infortunée sentit que tout dépendait de sa bonne contenance, et la mort dans l'âme elle se mit à ricaner. Les mères ont de ces forces-là.

« Bah ! dit-elle, cet homme est ivre. Il y a plus d'un an que le cul d'une charrette de pierres a donné dans ma lucarne et en a défoncé la grille. Que même j'ai injurié le charretier !

— C'est vrai, dit un autre archer, j'y étais. »

Il se trouve toujours partout des gens qui ont tout vu. Ce témoignage inespéré de l'archer ranima la recluse, à qui cet interrogatoire faisait traverser un abîme sur le tranchant d'un couteau.

Mais elle était condamnée à une alternative d'espérance et d'alarme.

« Si c'est une charrette qui a fait cela, repartit le premier soldat, les tronçons des barres devraient être repoussés en dedans, tandis qu'ils sont ramenés en dehors.

— Hé ! hé ! dit Tristan au soldat, tu as un nez d'enquêteur au Châtelet. Répondez à ce qu'il dit, la vieille !

— Mon Dieu ! s'écria-t-elle aux abois et d'une voix

malgré elle pleine de larmes, je vous jure, monseigneur, que c'est une charrette qui a brisé ces barreaux. Vous entendez que cet homme l'a vu. Et puis, qu'est-ce que cela fait pour votre égyptienne ?

— Hum ! grommela Tristan.

— Diable ! reprit le soldat, flatté de l'éloge du prévôt, les cassures du fer sont toutes fraîches ! »

Tristan hocha la tête. Elle pâlit. « Combien y a-t-il de temps, dites-vous, de cette charrette ?

— Un mois, quinze jours peut-être, monseigneur. Je ne sais plus, moi.

— Elle a d'abord dit plus d'un an, observa le soldat.

— Voilà qui est louche ! dit le prévôt.

— Monseigneur, cria-t-elle toujours collée devant la lucarne, et tremblant que le soupçon ne les poussât à y passer la tête et à regarder dans la cellule, monseigneur, je vous jure que c'est une charrette qui a brisé cette grille. Je vous jure par les saints anges du paradis. Si ce n'est pas une charrette, je veux être éternellement damnée et je renie Dieu !

— Tu mets bien de la chaleur à ce jurement ! » dit Tristan avec son coup d'œil d'inquisiteur.

La pauvre femme sentait s'évanouir de plus en plus son assurance. Elle en était à faire des maladresses, et elle comprenait avec terreur qu'elle ne disait pas ce qu'il aurait fallu dire.

Ici, un autre soldat arriva en criant : « Monseigneur, la vieille fée ment. La sorcière ne s'est pas sauvée par la rue du Mouton. La chaîne de la rue est restée tendue toute la nuit, et le garde-chaîne n'a vu passer personne. »

Tristan, dont la physionomie devenait à chaque instant plus sinistre, interpella la recluse : « Qu'as-tu à dire à cela ? »

Elle essaya encore de faire tête à ce nouvel incident : « Que je ne sais, monseigneur ; que j'ai pu me tromper. Je crois qu'elle a passé l'eau en effet.

— C'est le côté opposé, dit le prévôt. Il n'y a pourtant pas grande apparence qu'elle ait voulu rentrer dans la Cité où on la poursuivait. Tu mens, la vieille !

— Et puis, ajouta le premier soldat, il n'y a de bateau ni de ce côté de l'eau ni de l'autre.

— Elle aura passé à la nage, répliqua la recluse défendant le terrain pied à pied.

— Est-ce que les femmes nagent ? dit le soldat.

— Tête-Dieu ! la vieille ! tu mens ! tu mens ! reprit Tristan avec colère. J'ai bonne envie de laisser là cette sorcière, et de te pendre, toi. Un quart d'heure de question te tirera peut-être la vérité du gosier. Allons ! tu vas nous suivre. »

Elle saisit ces paroles avec avidité.

« Comme vous voudrez, monseigneur. Faites. Faites. La question, je veux bien. Emmenez-moi. Vite, vite ! partons tout de suite. » « Pendant ce temps-là, pensait-elle, ma fille se sauvera. »

« Mort-Dieu ! dit le prévôt, quel appétit du chevalet ! Je ne comprends rien à cette folle. »

Un vieux sergent du guet à tête grise sortit des rangs, et s'adressant au prévôt :

« Folle en effet, monseigneur ! Si elle a lâché l'égyptienne, ce n'est pas sa faute, car elle n'aime pas les égyptiennes. Voilà quinze ans que je fais le guet, et que je l'entends tous les soirs maugréer les femmes bohèmes avec des exécrations sans fin. Si celle que nous poursuivons est, comme je le crois, la petite danseuse à la chèvre, elle déteste celle-là surtout. »

Gudule fit un effort et dit : « Celle-là surtout. »

Le témoignage unanime des hommes du guet confirma au prévôt les paroles du vieux sergent. Tristan l'Hermite, désespérant de rien tirer de la recluse, lui tourna le dos, et elle le vit avec une anxiété inexprimable se diriger lentement vers son cheval.

« Allons, disait-il entre ses dents, en route ! remettons-nous à l'enquête. Je ne dormirai pas que l'égyptienne ne soit pendue. »

Il secoua la tête et sauta en selle. Le cœur si horriblement comprimé de Gudule se dilata, et elle dit à voix basse en jetant un coup d'œil sur sa fille, qu'elle n'avait pas encore osé regarder depuis qu'ils étaient là : « Sauvée ! »

La pauvre enfant était restée tout ce temps dans son coin, sans souffler, sans remuer. Elle n'avait rien perdu de la scène entre Gudule et Tristan, et chacune des angoisses de sa mère avait retenti en elle. Elle commençait enfin à respirer et à se sentir le pied en terre ferme. En ce moment, elle entendit une voix qui disait au prévôt :

« Corbœuf ! monsieur le Prévôt, ce n'est pas mon affaire, à moi homme d'armes, de pendre les sorcières. Je vous laisse besogner tout seul. Vous trouverez bon que j'aille rejoindre ma compagnie, pour ce qu'elle est sans capitaine. »

Cette voix, c'était celle de Phœbus de Châteaupers. Ce qui se passa en elle est ineffable. Elle se leva, et, avant que sa mère eût pu l'en empêcher, elle s'était jetée à la lucarne en criant :

« Phœbus ! à moi, mon Phœbus ! »

Phœbus n'y était plus. Il venait de tourner au galop l'angle de la rue de la Coutellerie. Mais Tristan n'était pas encore parti.

La recluse se précipita sur sa fille avec un rugissement. Elle la retira violemment en arrière. Mais il était trop tard. Tristan avait vu.

« Hé ! hé ! s'écria-t-il avec un rire qui déchaussait toutes ses dents et faisait ressembler sa figure au museau d'un loup, deux souris dans la souricière !

— Je m'en doutais », dit le soldat.

Tristan lui frappa sur l'épaule : « Tu es un bon chat ! Allons, ajouta-t-il, où est Henriet Cousin ? »

Un homme qui n'avait ni le vêtement ni la mine des soldats sortit de leurs rangs. Il portait un costume mi-parti gris et brun, les cheveux plats, des manches de cuir et un paquet de cordes à sa grosse main. Cet homme accompagnait toujours Tristan qui accompagnait toujours Louis XI.

« L'ami, dit Tristan l'Hermite, je présume que voilà la sorcière que nous cherchions. Tu vas me pendre cela. As-tu ton échelle ?

— Il y en a une là, sous le hangar de la Maison-aux-Piliers, répondit l'homme. Est-ce à cette justice-là que nous ferons la chose ? poursuivit-il en montrant le gibet de pierre.

— Oui.

— Ho hé ! reprit l'homme avec un gros rire plus bestial encore que celui du prévôt, nous n'aurons pas beaucoup de chemin à faire.

— Dépêche ! dit Tristan. Tu riras après. »

Cependant, depuis que Tristan avait vu sa fille et que tout espoir était perdu, la recluse n'avait pas encore dit une parole. Elle avait jeté la pauvre égyptienne à demi morte dans le coin du caveau et s'était replacée à la lucarne, ses deux mains appuyées à l'angle de l'entablement comme deux griffes. Au moment où Henriet Cousin s'approcha de la loge, elle lui fit une figure tellement sauvage qu'il recula.

« Monseigneur, dit-il en revenant au prévôt, laquelle faut-il pendre ?

— La jeune.

— Tant mieux. Car la vieille paraît malaisée.

— Pauvre petite danseuse à la chèvre ! » dit le vieux sergent du guet.

Henriet Cousin se rapprocha de la lucarne. L'œil de la mère fit baisser le sien. Il dit assez timidement :

« Madame... »

Elle l'interrompit d'une voix très basse et furieuse :

« Que demandes-tu ?

— La jeune. »

Elle se mit à secouer la tête en criant : « Il n'y a personne ! Il n'y a personne ! Il n'y a personne !

— Si ! reprit le bourreau, vous le savez bien. »

Elle répéta d'un air de folie : « Il n'y a personne.

— Je vous dis que si ! répliqua le bourreau. Nous avons tous vu que vous étiez deux.

— Regarde plutôt ! dit la recluse en ricanant. Fourre ta tête par la lucarne. »

Le bourreau examina les ongles de la mère, et n'osa pas.

« Dépêche ! » cria Tristan, qui venait de ranger sa

troupe en cercle autour du Trou-aux-Rats et qui se tenait à cheval près du gibet.

Henriet revint au prévôt encore une fois, tout embarrassé. Il avait posé sa corde à terre, et roulait d'un air gauche son chapeau dans ses mains.

« Monseigneur, demanda-t-il, par où entrer ?

— Par la porte.

— Il n'y en a pas.

— Par la fenêtre.

— Elle est trop étroite.

— Élargis-la, dit Tristan avec colère. N'as-tu pas des pioches ? »

Henriet Cousin alla chercher la caisse d'outils des basses œuvres sous le hangar de la Maison-aux-Piliers. Il en retira aussi la double échelle, qu'il appliqua sur-le-champ au gibet. Cinq ou six hommes de la prévôté s'armèrent de pics et de leviers, et Tristan se dirigea avec eux vers la lucarne.

« La vieille, dit le prévôt d'un ton sévère, livre-nous cette fille de bonne grâce. »

Elle le regarda comme quand on ne comprend pas.

« Tête-Dieu ! reprit Tristan, qu'as-tu donc à empêcher cette sorcière d'être pendue comme il plaît au roi ?

— Ce que j'y ai ? C'est ma fille.

— J'en suis fâché, repartit le prévôt. Mais c'est le bon plaisir du roi. Percez le mur. »

Il suffisait, pour pratiquer une ouverture assez large, de desceller une assise de pierre au-dessous de la lucarne. Quand la mère entendit les pics et les leviers saper sa forteresse, elle poussa un cri épouvantable, puis elle se mit à tourner avec une vitesse effrayante autour de sa loge, habitude de bête fauve que la cage lui avait donnée. Elle ne disait plus rien, mais ses yeux flamboyaient. Les soldats étaient glacés au fond du cœur.

Tout à coup elle prit son pavé, rit, et le jeta à deux poings sur les travailleurs. Le pavé, mal lancé, car ses mains tremblaient, ne toucha personne, et vint s'arrêter sous les pieds du cheval de Tristan. Elle grinça des dents.

Cependant, quoique le soleil ne fût pas encore levé, il faisait grand jour. Quelques manants, quelques fruitiers allant aux Halles sur leur âne, commençaient à traverser la Grève, ils s'arrêtaient un moment devant ce groupe de soldats amoncelés autour du Trou-aux-Rats, le considéraient d'un air étonné, et passaient outre.

La recluse était allée s'asseoir près de sa fille, la couvrant de son corps. Tout à coup elle vit la pierre s'ébranler, et elle entendit la voix de Tristan qui encourageait les travailleurs. Alors elle sortit de l'affaissement où elle était tombée depuis quelques instants, et s'écria :

« Ho ! ho ! ho ! Mais c'est horrible ! Vous êtes des brigands ! Est-ce que vraiment vous allez me prendre ma fille ? Je vous dis que c'est ma fille ! Oh ! les lâches ! les misérables assassins ! Au secours ! au secours ! »

Alors s'adressant à Tristan, écumante, l'œil hagard, à quatre pattes comme une panthère, et toute hérissée :

« Approche un peu me prendre ma fille ! Est-ce que tu ne comprends pas que cette femme te dit que c'est sa fille ? Sais-tu ce que c'est qu'un enfant qu'on a ?

— Mettez bas la pierre, dit Tristan, elle ne tient plus. »

Les leviers soulevèrent la lourde assise. Le bloc massif, mis en mouvement par six hommes, glissa doucement jusqu'à terre le long des leviers de fer.

La mère, voyant l'entrée faite, tomba devant l'ouverture en travers, barricadant la brèche avec son corps, tordant ses bras, heurtant la dalle de sa tête, et criant d'une voix enrouée de fatigue qu'on entendait à peine : « Au secours ! au feu ! au feu !

— Maintenant prenez la fille », dit Tristan toujours impassible.

La mère regarda les soldats d'une manière si formidable qu'ils avaient plus envie de reculer que d'avancer.

« Allons donc, reprit le prévôt. Henriet Cousin, toi ! »

Personne ne fit un pas.

« Allons ! repartit le prévôt, la baie est assez large. Entrez-y trois de front, comme à la brèche de Pontoise. Finissons, mort-Mahom ! Le premier qui recule, j'en fais deux morceaux ! »

Placés entre le prévôt et la mère, tous deux menaçants, les soldats hésitèrent un moment, puis prenant leur parti s'avancèrent vers le Trou-aux-Rats.

Quand la recluse vit cela, elle se dressa brusquement sur les genoux, écarta ses cheveux de son visage, puis laissa retomber ses mains maigres et écorchées sur ses cuisses. Alors de grosses larmes sortirent une à une de ses yeux, elles descendaient par une ride le long de ses joues comme un torrent par un lit qu'il s'est creusé. En même temps elle se mit à parler, mais d'une voix si suppliante, si douce, si soumise et si poignante qu'à l'entour de Tristan plus d'un vieil argousin[1] qui aurait mangé de la chair humaine s'essuyait les yeux.

Le bourreau et les sergents entrèrent dans la logette. La mère ne fit aucune résistance, seulement elle se traîna vers sa fille et se jeta à corps perdu sur elle. L'égyptienne vit les soldats s'approcher. L'horreur de la mort la ranima.

« Ma mère ! cria-t-elle avec un inexprimable accent de détresse, ma mère ! ils viennent ! défendez-moi !

— Oui, mon amour, je te défends ! » répondit la mère d'une voix éteinte ; et, la serrant étroitement dans ses bras, elle la couvrit de baisers. Toutes deux ainsi à terre, la mère sur sa fille, faisaient un spectacle digne de pitié.

Henriet Cousin prit la jeune fille par le milieu du corps sous ses belles épaules. Quand elle sentit cette main, elle fit : « Heuh ! » et s'évanouit. Le bourreau, qui laissait tomber goutte à goutte de grosses larmes sur elle, voulut l'enlever dans ses bras. Il essaya de détacher la mère, qui avait pour ainsi dire noué ses deux mains autour de la ceinture de sa fille, mais elle était si puissamment cramponnée à son enfant qu'il fut impossible de l'en séparer. Henriet Cousin alors traîna la jeune fille hors de la loge et la mère après elle. La mère aussi tenait ses yeux fermés.

---

1. Surveillant de bagne, puis, par extension, agent de police.

Le soleil se levait en ce moment, et il y avait déjà sur la place un assez bon amas de peuple qui regardait à distance ce qu'on traînait ainsi sur le pavé vers le gibet. Car c'était la mode du prévôt Tristan aux exécutions. Il avait la manie d'empêcher les curieux d'approcher.

Il n'y avait personne aux fenêtres. On voyait seulement de loin, au sommet de celle des tours de Notre-Dame qui domine la Grève, deux hommes détachés en noir sur le ciel clair du matin, qui semblaient regarder.

Henriet Cousin s'arrêta avec ce qu'il traînait au pied de la fatale échelle, et, respirant à peine tant la chose l'apitoyait, il passa la corde autour du cou adorable de la jeune fille. La malheureuse enfant sentit l'horrible attouchement du chanvre. Elle souleva ses paupières, et vit le bras décharné du gibet de pierre étendu au-dessus de sa tête. Alors elle se secoua, et cria d'une voix haute et déchirante : « Non ! non ! je ne veux pas ! » Le bourreau profita de ce moment pour dénouer vivement les bras dont la mère étreignait la condamnée. Soit épuisement, soit désespoir, elle le laissa faire. Alors il prit la jeune fille sur son épaule, d'où la charmante créature retombait gracieusement pliée en deux sur sa large tête. Puis il mit le pied sur l'échelle pour monter.

En ce moment la mère, accroupie sur le pavé, ouvrit tout à fait les yeux. Sans jeter un cri, elle se redressa avec une expression terrible, puis comme une bête sur sa proie, elle se jeta sur la main du bourreau et le mordit. Ce fut un éclair. Le bourreau hurla de douleur. On accourut. On la repoussa assez brutalement et l'on remarqua que sa tête retombait lourdement sur le pavé. On la releva. Elle se laissa de nouveau retomber. C'est qu'elle était morte.

Le bourreau, qui n'avait pas lâché la jeune fille, se remit à monter l'échelle.

2

La creatura belle bianco vestita[1]

Quand Quasimodo vit que la cellule était vide, que l'égyptienne n'y était plus, que pendant qu'il la défendait on l'avait enlevée, il prit ses cheveux à deux mains et trépigna de surprise et de douleur. Puis il se mit à courir par toute l'église, cherchant sa bohémienne, hurlant des cris étranges à tous les coins de mur, semant ses cheveux rouges sur le pavé. C'était précisément le moment où les archers du roi entraient victorieux dans Notre-Dame, cherchant aussi l'égyptienne. Quasimodo les y aida, sans se douter, le pauvre sourd, de leurs fatales intentions ; il croyait que les ennemis de l'égyptienne c'étaient les truands. Il mena lui-même Tristan l'Hermite à toutes les cachettes possibles, lui ouvrit les portes secrètes, les doubles fonds

_____

1. « La belle créature vêtue de blanc » ; désigne l'ange de l'humanité dans _Le Purgatoire_ de Dante.

d'autel, les arrière-sacristies. Si la malheureuse y eût été encore, c'est lui qui l'eût livrée.

Quand la lassitude de ne rien trouver eut rebuté Tristan qui ne se rebutait pas aisément, Quasimodo continua de chercher tout seul. Il fit vingt fois, cent fois le tour de l'église, de long en large, du haut en bas, montant, descendant, courant, appelant, criant, flairant, furetant, fouillant, fourrant sa tête dans tous les trous, poussant une torche sous toutes les voûtes, désespéré, fou.

Enfin quand il fut sûr, bien sûr qu'elle n'y était plus, que c'en était fait, qu'on la lui avait dérobée, il monta lentement l'escalier des tours, cet escalier qu'il avait escaladé avec tant d'emportement et de triomphe le jour où il l'avait sauvée. Il repassa par les mêmes lieux, la tête basse, sans voix, sans larmes, presque sans souffle. L'église était déserte de nouveau et retombée dans son silence. Les archers l'avaient quittée pour traquer la sorcière dans la Cité. Quasimodo, resté seul dans cette vaste Notre-Dame, si assiégée et si tumultueuse le moment d'auparavant, reprit le chemin de la cellule où l'égyptienne avait dormi tant de semaines sous sa garde.

En s'en approchant, il se figurait qu'il allait peut-être l'y retrouver. Quand, au détour de la galerie qui donne sur le toit des bas côtés, il aperçut l'étroite logette avec sa petite fenêtre et sa petite porte, tapie sous un grand arc-boutant comme un nid d'oiseau sous une branche, le cœur lui manqua, au pauvre homme, et il s'appuya contre un pilier pour ne pas tomber.

Enfin il rassembla son courage, il avança sur la pointe des pieds, il regarda, il entra. Vide ! la cellule était toujours vide. Le malheureux sourd en fit le tour à pas lents, souleva le lit et regarda dessous, comme si elle pouvait être cachée entre la dalle et le matelas, puis il secoua la tête et demeura stupide dans une attitude d'étonnement.

Il resta ainsi plus d'une heure sans faire un mouvement, l'œil fixé sur la cellule déserte. Il ne prononçait pas un mot ; seulement, à de longs intervalles, un sanglot remuait violemment tout son corps, mais un sanglot sans larmes, comme ces éclairs d'été qui ne font pas de bruit.

Il paraît que ce fut alors que, cherchant au fond de sa rêverie désolée quel pouvait être le ravisseur inattendu de l'égyptienne, il songea à l'archidiacre. Il se souvint que dom Claude avait seul une clef de l'escalier qui menait à la cellule.

La colère de sang et de mort qu'il en eût ressentie contre tout autre, du moment où il s'agissait de Claude Frollo, se tourna chez le pauvre sourd en accroissement de douleur.

Au moment où sa pensée se fixait ainsi sur le prêtre, comme l'aube blanchissait les arcs-boutants, il vit à l'étage supérieur de Notre-Dame, au coude que fait la balustrade extérieure qui tourne autour de l'abside, une figure qui marchait. Cette figure venait de son côté. Il la reconnut. C'était l'archidiacre.

Claude allait d'un pas grave et lent. Il ne regardait pas devant lui en marchant, il se dirigeait vers la tour septentrionale. Le prêtre passa ainsi au-dessus de Quasimodo sans le voir.

Le sourd, que cette brusque apparition avait pétrifié, le vit s'enfoncer sous la porte de l'escalier de la tour septentrionale. Le lecteur sait que cette tour est celle d'où l'on voit l'Hôtel-de-Ville. Quasimodo se leva et suivit l'archidiacre.

Quasimodo monta l'escalier de la tour pour savoir pourquoi le prêtre le montait. Du reste, le pauvre sonneur ne savait ce qu'il ferait, lui Quasimodo, ce qu'il dirait, ce qu'il voulait. Il était plein de fureur et plein de crainte. L'archidiacre et l'égyptienne se heurtaient dans son cœur.

Quand il fut parvenu au sommet de la tour, avant de sortir de l'ombre de l'escalier et d'entrer sur la plate-forme, il examina avec précaution où était le prêtre. Le prêtre lui tournait le dos. Il y a une balustrade percée à jour qui entoure la plate-forme du clocher. Le prêtre, dont les yeux plongeaient sur la ville, avait la poitrine appuyée à celui des autres côtés de la balustrade qui regarde le pont Notre-Dame.

Quasimodo, s'avançant à pas de loup derrière lui, alla voir ce qu'il regardait ainsi.

L'attention du prêtre était tellement absorbée ailleurs qu'il n'entendit point le sourd marcher près de lui.

Quasimodo brûlait de lui demander ce qu'il avait fait de l'égyptienne. Mais l'archidiacre semblait en ce moment être hors du monde. Les yeux invariablement fixés sur certain lieu, il demeurait immobile et silencieux ; et ce silence et cette immobilité avaient quelque chose de si redoutable que le sauvage sonneur frémissait devant et n'osait s'y heurter. Seulement, et c'était encore une manière d'interroger l'archidiacre, il suivit la direction de son rayon visuel, et de cette façon le regard du malheureux sourd tomba sur la place de Grève.

Il vit ainsi ce que le prêtre regardait. L'échelle était dressée près du gibet permanent. Il y avait quelque peuple dans la place et beaucoup de soldats. Un homme traînait sur le pavé une chose blanche à laquelle une chose noire était accrochée. Cet homme s'arrêta au pied du gibet.

Ici il se passa quelque chose que Quasimodo ne vit pas bien. Ce n'est pas que son œil unique n'eût conservé sa longue portée, mais il y avait un gros de soldats qui empêchait de distinguer tout.

Cependant l'homme se mit à monter l'échelle. Alors Quasimodo le revit distinctement. Il portait une femme sur son épaule, une jeune fille vêtue de blanc, cette jeune fille avait un nœud au cou. Quasimodo la reconnut.

C'était elle.

L'homme parvint ainsi au haut de l'échelle. Là il arrangea le nœud. Ici le prêtre, pour mieux voir, se mit à genoux sur la balustrade.

Tout à coup l'homme repoussa brusquement l'échelle du talon, et Quasimodo qui ne respirait plus depuis quelques instants vit se balancer au bout de la corde, à deux toises au-dessus du pavé, la malheureuse enfant. La corde fit plusieurs tours sur elle-même.

Au moment où c'était le plus effroyable, un rire de démon, un rire qu'on ne peut avoir que lorsqu'on n'est plus homme, éclata sur le visage livide du prêtre. Quasimodo n'entendit pas ce rire, mais il le vit. Le sonneur recula de quelques pas derrière l'archidiacre, et tout à coup, se ruant sur lui avec fureur, de ses deux grosses mains il le poussa par le dos dans l'abîme sur lequel dom Claude était penché.

Le prêtre cria : « Damnation ! » et tomba.

La gouttière au-dessus de laquelle il se trouvait l'arrêta dans sa chute. Il s'y accrocha avec des mains désespérées, et, au moment où il ouvrit la bouche pour jeter un second cri, il vit passer au rebord de la balustrade, au-dessus de sa tête, la figure formidable et vengeresse de Quasimodo.

Alors il se tut.

L'abîme était au-dessous de lui. Une chute de plus de deux cents pieds, et le pavé.

Dans cette situation terrible, l'archidiacre ne dit pas une parole, ne poussa pas un gémissement. Seulement il se tordit sur la gouttière avec des efforts inouïs pour remonter. Mais ses mains n'avaient pas de prise sur le granit, ses pieds rayaient la muraille noircie, sans y mordre.

Quasimodo n'eût pour le tirer du gouffre qu'à lui tendre la main, mais il ne le regardait seulement pas. Il regardait la Grève. Il regardait le gibet. Il regardait l'égyptienne.

Le sourd s'était accoudé sur la balustrade à la place où était l'archidiacre le moment d'auparavant, et là, ne détachant pas son regard du seul objet qu'il y eût pour lui au monde en ce moment, il était immobile et muet comme un homme foudroyé, et un long ruisseau de pleurs coulait en silence de cet œil qui jusqu'alors n'avait encore versé qu'une seule larme.

Cependant l'archidiacre haletait. Il entendait sa soutane accrochée à la gouttière craquer et se découdre à chaque secousse qu'il lui donnait. Pour comble de malheur, cette gouttière était terminée par un tuyau de plomb qui fléchissait sous le poids de son corps. L'archidiacre sentait ce tuyau ployer lentement. Il se disait, le misérable, que quand ses mains seraient brisées de fatigue, quand sa soutane serait déchirée, quand ce plomb serait ployé, il faudrait tomber, et l'épouvante le prenait aux entrailles. Quelquefois, il regardait avec égarement une espèce d'étroit plateau formé à quelque dix pieds plus bas par des accidents de sculpture, et il demandait au ciel dans le fond de son âme en détresse de pouvoir finir sa vie sur cet espace de deux pieds carrés, dût-elle durer cent années. Une fois, il regarda au-dessous de lui dans la place, dans l'abîme ; la tête qu'il releva fermait les yeux et avait les cheveux tout droits.

C'était quelque chose d'effrayant que le silence de ces deux hommes. Tandis que l'archidiacre à quelques pieds de lui agonisait de cette horrible façon, Quasimodo pleurait et regardait la Grève.

L'archidiacre, voyant que tous ses soubresauts ne servaient qu'à ébranler le fragile point d'appui qui lui restait, avait pris le parti de ne plus remuer. Il était là, embrassant la gouttière, respirant à peine, ne bougeant plus, n'ayant plus d'autres mouvements que cette convulsion machinale du ventre qu'on éprouve dans les rêves quand on croit se sentir tomber. Ses yeux fixes étaient ouverts d'une manière maladive et étonnée. Peu à peu cependant, il perdait du terrain, ses doigts glissaient sur la gouttière, il sentait de plus en plus la faiblesse de ses bras et la pesanteur de son corps, la courbure du plomb qui le soutenait s'inclinait à tout moment d'un cran vers l'abîme.

Quasimodo pleurait.

Enfin l'archidiacre, écumant de rage et d'épouvante, comprit que tout était inutile. Il rassembla pourtant tout ce qui lui restait de force pour un dernier effort. Il se roidit sur la gouttière, repoussa le mur de ses deux genoux, s'accrocha des mains à une fente des pierres et parvint à regrimper d'un pied peut-être ; mais cette commotion fit ployer brusquement le bec de plomb sur lequel il s'appuyait. Du même coup la soutane s'éventra. Alors, sentant tout manquer sous lui, n'ayant plus que ses mains roidies et défaillantes qui tinssent à quelque chose, l'infortuné ferma les yeux et lâcha la gouttière. Il tomba.

Quasimodo le regarda tomber.

Une chute de si haut est rarement perpendiculaire. L'archidiacre lancé dans l'espace tomba d'abord la tête en bas et les deux mains étendues, puis il fit plusieurs tours sur lui-même. Le vent le poussa sur le toit d'une maison où le malheureux commença à se briser. Cependant il n'était pas mort quand il arriva. Le sonneur le vit essayer encore de se retenir au pignon avec les ongles. Mais le plan était trop incliné et il n'avait plus de force. Il glissa rapidement sur le toit comme une tuile qui se détache, et alla rebondir sur le pavé. Là, il ne remua plus.

Quasimodo alors releva son œil sur l'égyptienne dont il voyait le corps, suspendu au gibet, frémir au loin sous sa robe blanche des derniers tressaillements de l'agonie, puis il le rabaissa sur l'archidiacre étendu au bas de la tour et n'ayant plus forme humaine, et il

dit avec un sanglot qui souleva sa profonde poitrine :
« Oh ! tout ce que j'ai aimé ! »

Vers le soir de cette journée, quand les officiers
judiciaires de l'évêque vinrent relever sur le pavé du
parvis le cadavre disloqué de l'archidiacre, Quasimodo avait disparu de Notre-Dame.

Il courut beaucoup de bruits sur cette aventure.
On ne douta pas que le jour ne fût venu où, d'après
leur pacte, Quasimodo, c'est-à-dire le diable, devait
emporter Claude Frollo, c'est-à-dire le sorcier. On
présuma qu'il avait brisé le corps en prenant l'âme,
comme les singes qui cassent la coquille pour manger
la noix.

C'est pourquoi l'archidiacre ne fut pas inhumé en
terre sainte.

Louis XI mourut l'année d'après, au mois d'août
1483.

Quant à Pierre Gringoire, il parvint à sauver la
chèvre, et il obtint des succès en tragédie. Il paraît
qu'après avoir goûté de l'astrologie, de la philosophie,
de l'architecture, de l'hermétique, de toutes les folies,
il revint à la tragédie, qui est la plus folle de toutes.
C'est ce qu'il appelait *avoir fait une fin tragique*.

Phœbus de Châteaupers aussi fit une fin tragique,
il se maria.

Deux ans environ ou dix-huit mois après les évé-
nements qui terminent cette histoire, quand on vint
rechercher dans la cave de Montfaucon le cadavre
d'Olivier Le Daim, qui avait été pendu deux jours
auparavant, on trouva parmi toutes ces carcasses
hideuses deux squelettes dont l'un tenait l'autre singulièrement embrassé. L'un de ces deux squelettes,

qui était celui d'une femme, avait encore quelques lambeaux de robe d'une étoffe qui avait été blanche, et on voyait autour de son cou un collier de grains d'adrézarach avec un petit sachet de soie, orné de verroterie verte qui était ouvert et vide. L'autre, qui tenait celui-ci étroitement embrassé, était un squelette d'homme. On remarqua qu'il avait la colonne vertébrale déviée, la tête dans les omoplates et une jambe plus courte que l'autre. Il n'avait d'ailleurs aucune rupture de vertèbre à la nuque, et il était évident qu'il n'avait pas été pendu. L'homme auquel il avait appartenu était donc venu là, et il y était mort. Quand on voulut le détacher du squelette qu'il embrassait, il tomba en poussière.

TABLE

Composition PCA - 44400 Rezé

Achevé d'imprimer en Espagne par BLACK PRINT CPI IBERICA

32.10.2589.3/03– ISBN : 978-2-01-322589-2

Loi nº 49-956 du 16 juillet 1949 sur les publications destinées à la jeunesse

Dépôt légal : septembre 2011